Hugo's Simpl

Romanian
Phrase Book

Hugo's Language Books Limited

Compiled by Lexus Ltd
with
Dennis Deletant
and
Yvonne Alexandrescu

*Facts and figures given in this book were
correct when printed. If you discover any
changes, please write to us.*

Set in 8/9 Palatino by
Lexus Ltd with Dittoprint Ltd, Glasgow
Printed in England by Page Bros, Norwich

PREFACE

This is the latest in a long line of Hugo phrase books and is of excellent pedigree, having been compiled by experts to meet the general needs of tourists and business travellers. Arranged under the usual headings of 'Hotels', 'Motoring' and so forth, the ample selection of useful words and phrases is supported by a 2,000 line mini-dictionary. By cross-reference to this, scores of additional phrases may be formed. There is also an extensive menu guide listing approximately 400 dishes or methods of cooking and presentation.

Highlighted sections illustrate some of the replies you may be given and the signs or instructions you may see or hear. The pronunciation of words and phrases in the main text is imitated in English sound syllables, and particular characteristics of Romanian are illustrated in the Introduction. You should have no difficulty managing the language, especially if you use our audio-cassette of selected extracts from the book. Ask your bookseller for the Hugo Romanian Travel Pack.

CONTENTS

INTRODUCTION

PRONUNCIATION

When reading the imitated pronunciation, stress that part which is underlined. Pronounce each syllable as if it formed part of an English word, and you will be understood sufficiently well. By remembering the points below your pronunciation will be even closer to the correct Romanian. Use our audio cassette of selected extracts from this book, and you should be word-perfect!

ay	as in 'pay'
e	as in 'bed'
I	'i' as in 'pie'
g	as in 'get'
ow	as in 'cow'
u, uh	'u' as in 'luck'
zh	's' as in 'leisure'

One basic point to bear in mind is that all Romanian words that are spelt like English words are pronounced differently, eg **important** *(eemportant)*, **parking** *(parkeeng)*, **taxi** *(taksee)*, **computer** *(kompooter)*.

PRONUNCIATION OF ROMANIAN

Here is a general guide to Romanian sounds with an approximate English equivalent:

a	like the unstressed English 'a' or the 'u' in 'cut'
ă	like the 'er' as in 'butter', but without sounding the 'r'
â	'ew' as in 'dew'
e	either:
	1. 'e' in 'pen'
	2. 'ye' in 'yes'
i	either:
	1. 'ee' as in 'sleep'

5

	2. 'ya' as in 'yard'
	3. almost silent at the end of words except when preceded by consonant + r
î	'ew' as in 'dew'
o	'o' in 'pork'
u	'oo' in 'book'

ai	'i' as in 'pie'
au	'ow' as in 'cow'
ea	'ya' as in 'yap'
ei	'ay' as in 'say'; sometimes pronounced 'yay'
eu	'eh-oo'
ia	'ya' as in 'yard'
iau	'yow' as in 'yowl'
ie	'ye' as in 'yes'
io	'yo' as in 'York'
ioa	'yo-a'
iu	'yoo'
îi	'ew-ee'
oa	'wa'
oi	'oy'
ou	'oh'
ua	'wa'
uă	'weh'
ui	'wee'

Many consonants, such as b, c, d, f, g, h, k, l, m, n, p, s, t, v, w, x and z, are similar to English. Below are the exceptions:

c (before i or e)	'ch' as in 'cheese'
ch	'k' as in 'kite'
g (before i or e)	as in 'geography'
gh	'g' as in 'got'
j	's' as in 'leisure'
r	trilled as in Scottish 'r'
ş	'sh' as in 'she'
ţ	'ts' as in 'bats'

GENDERS AND THE DEFINITE/INDEFINITE ARTICLE

Romanian has three genders for nouns – masculine, feminine and neuter. In this book, we give the indefinite article (a, an) – **un** for masculine and neuter nouns and **o** for feminine nouns. There is no one word for 'the', however, and the definite article in Romanian is formed by adding a suffix to the noun or changing its ending. The following will help you create the definite form for the most common singular noun endings:

masculine or neuter nouns, add **-ul**
eg, **un turist** a tourist, **turistul** the tourist
　　un tren a train, **trenul** the train;

feminine nouns ending in **-ă**, change the ending to **-a**:
eg, 　**o chitanţă** a receipt, **chitanţa** the receipt;

feminine nouns ending in **-e**, change the ending to **-ea**:
eg, 　**o întrebare** a question, **întrebarea** the question;

feminine nouns ending in **-ie**, change the ending to **-ia**:
eg, 　**o jucărie** a toy, **jucăria** the toy.

'YOU'

There are four words for 'you' in Romanian: **tu** *(too)* and **dumneata** *(doomnyata)* – for addressing one person; **voi** *(voy)* – for addressing two or more people; and **dumneavoastră** *(doomnavwastruh)* – a polite form frequently used to address one or more persons. **Tu** is more common than **dumneata** and is used amongst close friends and relatives. If in doubt, use **dumneavoastră**.

USEFUL EVERYDAY PHRASES

Yes/no
Da/nu
da/noo

Thank you
Mulțumesc
mooltsoomesk

No thank you
Nu, mulțumesc
noo mooltsoomesk

Please
Vă rog
vuh rog

I don't understand
Nu înțeleg
noo ewntseleg

Do you speak English/French/German?
Vorbiți englezește/franțuzește/nemțește?
vorbeets englezeshteh/frantsoozeshteh/nemtseshteh

I can't speak Romanian
Nu vorbesc românește
noo vorbesk romewngshteh

I don't know
Nu știu
noo shtyoo

8

Please speak more slowly
Vorbiţi mai rar, vă rog
vorbeets mɪ rar vuh rog

Please write it down
Scrieţi, vă rog
skryets vuh rog

My name is ...
Mă numesc ...
muh noomesk

How do you do?
Ce mai faceţi?
cheh mɪ fachets

Very well
Foarte bine
fwarteh beeneh

Pleased to meet you
Îmi pare bine
ewm pareh beeneh

Good morning/good afternoon
Bună dimineaţa/bună ziua
boonuh deemeenyatsa/boonuh zeewa

Good evening/good night
Bună seara/noapte bună
boonuh syara/nwapteh boonuh

Goodbye
La revedere
la revedereh

USEFUL EVERYDAY PHRASES

Excuse me *(to get past)*
Îmi daţi voie?
ewm dats voy-yeh

Excuse me! *(to attract attention)*
Fiţi amabil!
feets am<u>a</u>beel

Sorry! *(apology)*
Scuzaţi!
skooz<u>a</u>ts

Sorry? *(pardon?)*
Poftim?
poft<u>ee</u>m

I'm really sorry!
Îmi pare foarte rău!
ewm p<u>a</u>reh f<u>wa</u>rteh row

Can you help me?
Puteţi să mă ajutaţi?
poot<u>e</u>ts suh muh azhoot<u>a</u>ts

Can you tell me ...?
Puteţi să-mi spuneţi ...?
poot<u>e</u>ts sum sp<u>oo</u>nets

Can I have ...?
Vă rog să-mi daţi ...
vuh rog sum dats

I would like a ...
Aş dori un/o ...
ash dor<u>ee</u> oon/o

10

I would like to ...
Aş dori să ...
ash doree suh

Is there ... here?
Aici este ...?
ich yesteh

Are there ... here?
Aici sînt ...?
ich sewnt

Where can I get ...?
Unde pot găsi ...?
oondeh pot gusee

How much is it?
Cît costă?
kewt kostuh

What time is it?
Cît este ceasul?
kewt yesteh chyasool

I must go now
Acum trebuie să plec
akoom treboo-yeh suh plek

I've lost my way
M-am rătăcit
mam rutukeet

I'll be late
Voi întîrzia
voy ewntewrzya

USEFUL EVERYDAY PHRASES

Cheers!
Noroc!
norok

Where is there a toilet?
Unde este un WC?
oondeh yesteh oon veh cheh

Go away!
Pleacă!
plyakuh

THINGS YOU'LL HEAR

aşa este	that's right
atenţie!	look out!
bine aţi venit	welcome
bună	hello; hi
ce mai faceţi?	how are you?
foarte bine, mulţumesc	very well, thank you
- şi dumneavoastră?	- and you?
la revedere	goodbye
mulţumesc	thanks
nu înţeleg	I don't understand
nu ştiu	I don't know
pentru puţin	you're welcome *(don't mention it)*
poftim?	pardon?; could you repeat that?
salut	hello; hi
scuzaţi	sorry!; I beg your pardon

THINGS YOU'LL SEE

apă potabilă	drinking water
bărbaţi	gents
casă	cash desk
deschis	open
de vînzare	for sale
drept înainte	straight on
etajul întîi	first floor
femei	ladies
fotografiatul interzis	no cameras allowed
fumatul interzis	no smoking
ieşire	way out; exit
ieşire în caz de pericol	emergency exit
informaţii	information
interzis	forbidden
intrare	way in; entrance
intrarea oprită	no admittance
împingeţi	push
închis	closed
închis pentru renovare	closed for renovation
linişte	silence
nu atingeţi	do not touch
ocupat	engaged
orele de lucru	opening times
parter	ground floor
pericol	danger
proaspăt vopsit	wet paint
program	opening times
toaletă	toilet
trageţi	pull

DAYS, MONTHS, SEASONS

Sunday	duminică	*doomeeneekuh*
Monday	luni	*loon*
Tuesday	marţi	*marts*
Wednesday	miercuri	*myerkoor*
Thursday	joi	*zhoy*
Friday	vineri	*veener*
Saturday	sîmbătă	*sewmbutuh*

January	ianuarie	*yan-waryeh*
February	februarie	*febr-waryeh*
March	martie	*martyeh*
April	aprilie	*apreelyeh*
May	mai	*mɪ*
June	iunie	*yoonyeh*
July	iulie	*yoolyeh*
August	august	*owgoost*
September	septembrie	*septembryeh*
October	octombrie	*oktombryeh*
November	noiembrie	*noy-embryeh*
December	decembrie	*dechembryeh*

Spring	primăvară	*preemuvaruh*
Summer	vară	*varuh*
Autumn	toamnă	*twamnuh*
Winter	iarnă	*yarnuh*

Christmas	Crăciun	*kruchyoon*
Christmas Eve	Ajunul Crăciunului	*azhoonool kruchyoonoolwee*
New Year	Anul Nou	*anool noh*
New Year's Eve	Ajunul Anului Nou	*azhoonool anoolwee noh*
Easter	Paşte	*pashteh*

NUMBERS

0 zero *zero*
1 unu *oonoo*
2 *doi, două *doy, doh-wuh*
3 trei *tray*
4 patru *patroo*
5 cinci *cheench*
6 șase *shaseh*
7 șapte *shapteh*
8 opt *opt*
9 nouă *noh-wuh*
10 zece *zecheh*

11 unsprezece *oonsprezecheh*
12 *doisprezece, douăsprezece *doysprezecheh, doh-wusprezecheh*
13 treisprezece *traysprezecheh*
14 paisprezece *pisprezecheh*
15 cincisprezece *cheenchsprezecheh*
16 șaisprezece *shisprezecheh*
17 șaptesprezece *shaptezprezecheh*
18 optsprezece *optsprezecheh*
19 nouăsprezece *nowuh-sprezecheh*

20 douăzeci *dowuh-zech*
21 douăzeci și unu *dowuh-zech shee oonoo*
22 douăzeci și doi *dowuh-zech shee doy*
30 treizeci *trayzech*
31 treizeci și unu *trayzech shee oonoo*
46 patruzeci și șase *patroozech shee shaseh*
50 cincizeci *cheenzeech*
60 șaizeci *shizech*
70 șaptezeci *shaptezech*
80 optzeci *optzech*
90 nouăzeci *nowuh-zech*
100 o sută *o sootuh*
200 două sute *doh-wuh sooteh*
1,000 o mie *o myeh*
1,120 o mie o sută douăzeci *o myeh o sootuh doh-wuzech*
2,000 două mii *doh-wuh mee*
10,000 zece mii *zecheh mee*
100,000 o sută de mii *o sootuh deh mee*
1,000,000 un milion *oon milyon*

doi is used with masculine and **două** with feminine and neuter nouns, eg **doi frați** 'two brothers'; **două fete** 'two girls'. The same applies to **doisprezece, douăsprezece**.

15

TIME

today	azi	*az*
yesterday	ieri	*yer*
tomorrow	mîine	*muh-ineh*
the day before yesterday	alaltăieri	*alaltuh-yer*
the day after tomorrow	poimîine	*poymuh-ineh*
this week	săptămîna asta	*suptumewna asta*
last week	săptămîna trecută	*suptumewna trekooter*
next week	săptămîna viitoare	*suptumewna veetwareh*
this morning	azi dimineaţă	*az deemeenyatsuh*
this afternoon	azi după amiază	*az doopuh amyazuh*
this evening	diseară	*deesyaruh*
yesterday evening	aseară	*asyaruh*
tonight	la noapte	*la nwapteh*
last night	noaptea trecută	*nwaptya trekootuh*
tomorrow morning	mîine dimineaţă	*muh-ineh deemeenyatsuh*
in three days	peste trei zile	*pesteh tray zeeleh*
two days ago	acum două zile	*akoom doh-wuh zeeleh*
this year	anul acesta	*anool achesta*
last year	anul trecut	*anool trekoot*
next year	anul viitor	*anool veetor*
late	tîrziu	*tewrzyoo*
early	devreme	*devremeh*
later on	mai tîrziu	*mi tewrzyoo*
at the moment	pentru moment	*pentroo moment*
soon	peste scurt timp	*pesteh skoort teemp*
second	secundă	*sekoonduh*
minute	minut	*meenoot*

one minute	un minut	*oon meenoot*
two minutes	două minute	*doh-wuh meenooteh*
quarter of an hour	sfert de oră	*sfert deh oruh*
half an hour	jumătate de oră	*zhoomutateh deh oruh*
three quarters of an hour	trei sferturi de oră	*tray sfertoor deh oruh*
hour	oră	*oruh*
every day	în fiecare zi	*ewn fyekareh zee*
all day	toată ziua	*twatuh zeewa*
the next day	ziua următoare	*zeewa oormutwareh*

TELLING THE TIME

The 24-hour clock is used much more frequently than in Britain or the USA – it's not only used in timetables, but also when making enquiries or appointments.

For 'one/two/three/four o'clock' etc use **ora** meaning 'hour' followed by the number. 'One o'clock' is therefore **ora unu** (*ora oonoo*); 'two o'clock' is **ora două** (*ora doh-wuh*) and so on. 'It's one o'clock' is **este ora unu** (*yesteh ora oonoo*); 'it's four o'clock' is **este ora patru** (*yesteh ora patroo*) and so on.

For time past the hour you simply follow the hour by **și**, which means 'and', plus the number of minutes. For example 'five past three' is **ora trei și cinci** (*ora tray shee cheench*). 'Half past' is **și jumătate** (*shee zhoomutateh*) which is often shortened to **jumate** (*zhoomateh*). 'Half past eleven' is therefore **ora unsprezece jumate** (*ora oonsprezecheh zhoomateh*). To say 'quarter past ...', add **și un sfert** (*shee oon sfert*), literally 'and a quarter' to the hour. So 'quarter past six' is **ora șase și un sfert** (*ora shaseh shee oon sfert*).

For times to the hour, use **fără** (*furuh*) meaning 'without'. For example, 'it's twenty to three' is **este ora trei fără douăzeci** (*yesteh ora tray furuh doh-wuzech*) – literally 'it's three hours without twenty'.

The word **ora** is often omitted. Here are some more examples: **este zece și un sfert** (*yesteh zecheh shee oon sfert*) 'it's quarter past ten'; **este**

17

patru fără cinci (*yesteh patroo furuh cheench*) 'it's five to four'; **este două jumate** (*yesteh doh-wuh zhoomateh*) 'it's half past two'.

one o'clock	ora unu	*ora oonoo*
ten past one	unu şi zece	*oonoo shee zecheh*
quarter past one	unu şi un sfert	*oonoo shee oon sfert*
half past one	unu jumate	*oonoo zhoomateh*
twenty to two	două fără douăzeci	*doh-wuh furuh doh-wuzech*
quarter to two	două fără un sfert	*doh-wuh furuh oon sfert*
two o'clock	ora două	*ora doh-wuh*
13.00	ora treisprezece	*ora traysprehzecheh*
16.30	ora paisprezece jumate	*ora pısprezecheh zhoomateh*
at half past three	la ora trei jumate	*la ora tray zhoomateh*
at noon	la amiază	*la amyazuh*
at midnight	la miezul nopţii	*la myezool noptsee*

HOTELS

Romania is not yet equipped for tourists travelling by themselves. Package tours to the Black Sea in summer, and winter sports holidays in the Carpathian mountains, account for most of Romania's foreign visitors. Hotels are geared to catering for the businessman and the short-stay visitor and very few offer full or half board, or even bed and breakfast, although this is beginning to change. Usually the price includes a room only and any meals will be charged separately or may have to be paid for in the dining room.

The standard system of classification for hotels in Romania is the following: de luxe, five-star, four-star, three-star, two-star, and one-star. Most three-star hotels have en-suite bathrooms and toilets and a television and radio although many such hotels in the provinces lack heating and hot water during the winter. In two-star and one-star hotels the bathroom and toilet is shared. Provincial towns are unlikely to have anything more than a three-star hotel.

Visitors are advised to supply their own soap, bath plug and toilet paper if intending to stay in hotels below the three-star category. Valuables should not be left in hotel rooms of any category. It is advisable to book hotel accommodation in advance but if you are unable to do so you should go directly to the hotel of your choice to seek a room. Few hotels in Romania are equipped to accept credit cards and foreigners are expected to pay in Western currency, preferably in US dollars which have become the secondary currency to the Romanian leu. Outside Bucharest the visitor may experience difficulty in getting a hotel to accept foreign currency other than the US dollar for payment and few hotels in the provinces have currency exchange facilities.

As Romania changes to a market economy rented accommodation in private flats and houses is becoming increasingly available to visitors, but as yet no organization has been set up for booking this type of accommodation. Taxi drivers often know where to find a private room.

USEFUL WORDS AND PHRASES

balcony	un balcon	*balkon*
bathroom	o baie	*biyeh*
bed	un pat	*pat*
bedroom (*in house*)	un dormitor	*dormitor*
(*in hotel*)	o cameră	*kamerer*
bill	notă de plată	*notuh deh platuh*
breakfast	micul dejun	*meekool dezhoon*
dining room	un restaurant	*restowrant*
dinner	masa de seară	*masuh deh syaruh*
double room	cameră cu pat dublu	*kameruh koo pat doobloo*
foyer	un hol	*hol*
full board	pensiune completă	*pensyooneh kompletuh*
half board	demi pensiune	*demee pensyooneh*
hotel	un hotel	*hotel*
key	o cheie	*kayeh*
lift	un lift	*leeft*
lounge	un salon	*salon*
lunch	prînz	*prewnz*
manager	un director	*direktor*
motel	un motel	*motel*
reception	recepție	*recheptsyeh*
receptionist (*man*)	un recepționist	*recheptsyoneest*
(*woman*)	o recepționistă	*recheptsyoneestuh*
restaurant	un restaurant	*restowrant*
room	o cameră	*kameruh*
room service	serviciu în cameră	*serveechyoo ewn kameruh*
shower	un duş	*doosh*
single room	o cameră cu un pat	*kameruh koo oon pat*
toilet	un WC	*veh cheh*
twin room	o cameră cu două paturi	*kameruh koo doh-wuh patoor*

Have you any vacancies?
Aveţi o cameră liberă?
avets o kameruh leeberuh

I have a reservation
Am rezervat o cameră
am rezervat o kameruh

I'd like a single/double room
Aş vrea o cameră cu un pat/cu pat dublu
ash vrya o kameruh koo oon pat/koo pat doobloo

I'd like a twin room
Aş vrea o cameră cu două paturi
ash vrya o kameruh koo doh-wuh patoor

I'd like a room with a bathroom/balcony
Aş vrea o cameră cu baie/cu balcon
ash vrya o kameruh koo biyeh/koo balkon

I'd like a room for one night/three nights
Aş vrea o cameră pentru o noapte/trei nopţi
ash vrya o kameruh pentroo o nwapteh/tray nopts

What is the charge per night?
Cît costă pe noapte?
kewt kostuh peh nwapteh

I don't know how long I'll be staying
Nu ştiu cît voi sta
noo shtyoo kewt voy sta

What is included in the price?
Ce este inclus în preţ?
cheh yesteh eenkloos ewn prets

When is breakfast?
La ce oră se serveşte micul dejun?
la cheh oruh seh serveshteh meekool dezhoon

When is dinner?
La ce oră se serveşte masa de seară?
la cheh oruh seh serveshteh masa deh syaruh

Would you have my luggage brought up?
Vă rog să-mi aduceţi sus bagajul
vuh rog serm adoochets soos bagazhool

Please call me at six o'clock
Vă rog să mă treziţi la ora şase
vuh rog ser mer trezeets la ora shaseh

Can I have breakfast in my room?
Pot să servesc micul dejun în cameră?
pot suh servesk meekool dezhoon ewn kameruh

I'll be back at ten o'clock
Mă voi întoarce la ora zece
muh voy ewntwarcheh la ora zecheh

My room number is 15
Camera mea are numărul cincisprezece
kamera mya areh noomuh-rool cheenchsprezecheh

I need a light bulb
Am nevoie de un bec
am nevoyeh deh oon bek

There is no toilet paper in the bathroom
Nu este hîrtie igienică la baie
noo yesteh hewrtyeh eej-yeneekuh la biyeh

The window won't open
Fereastra nu se deschide
feryastra noo seh deskeedeh

The lift/shower doesn't work
Liftul/duşul nu merge
leeftool/dooshool noo merjeh

There isn't any hot water
Nu este apă caldă
noo yesteh apuh kalduh

There's no water
Nu curge apa
noo koorjeh apa

I'd like to have some laundry done
Aş vrea să dau nişte haine la curăţat
ash vrya suh dow neeshteh hineh la koorertsat

The socket in the bathroom doesn't work
Priza din baie este stricată
preeza deen biyeh yesteh streekatuh

I'm leaving tomorrow
Plec mîine
plek muh-ineh

Can I have the bill please?
Nota de plată, vă rog
noter deh platuh vuh rog

I'll pay by credit card
Voi plăti cu un credit card
voy plutee koo oon 'credit card'

23

HOTELS

Can you get me a taxi?
Puteţi să-mi chemaţi un taxi?
pootets sum kemats oon taksee

Can you recommend another hotel?
Puteţi recomanda un alt hotel?
pootets rekomanda oon alt hotel

THINGS YOU'LL SEE

baie	bath
bărbaţi	gents
cameră cu pat dublu	double room
cameră cu un pat	single room
duş	shower
femei	ladies
ieşire în caz de pericol	emergency exit
împingeţi	push
micul dejun	breakfast
notă de plată	bill
parter	ground floor
recepţie	reception
reservaţie	reservation
toaletă	toilet
trageţi	pull

THINGS YOU'LL HEAR

Îmi pare rău, nu avem camere
I'm sorry, we're full

Nu mai avem camere cu un pat
We have no single rooms left

Nu mai avem camere de o persoană
We have no single rooms left

Nu mai avem camere cu două paturi
We have no twin rooms left

Cît doriţi să staţi?
For how many nights?

Cum plătiţi?
How will you be paying?

Vă rog să plătiţi în avans
Please pay in advance

Doriţi o cameră mai ieftină?
Would you like a cheaper room?

Paşaportul dumneavoastră, vă rog
Your passport please

Completaţi acest formular, vă rog
Please fill in this form

Plătiţi în lei sau în valută?
Are you paying in lei or in hard currency?

CAMPING AND CARAVANNING

Travelling by caravan is an ideal way of seeing Romania. There are a number of designated campsites and a list is available from Romanian National Tourist Offices. However, you can stop virtually anywhere and local people are always very helpful with advice. Make sure that you have plenty of food and drink with you – shopping will prove difficult in the countryside because many villages do not have shops. Fruit, vegetables, eggs and sausage meat can be bought in town shops and markets; milk and joints of meat are difficult to obtain.

USEFUL WORDS AND PHRASES

campsite	un camping	*kamping*
caravan	o rulotă	*roolotuh*
corkscrew	un tirbuşon	*teerbooshon*
cutlery	tacîm	*takewm*
drinking water	apă potabilă	*apuh potabeeluh*
hitchhike	face autostop	*facheh owtostop*
portable stove	un aragaz portativ	*aragaz portateev*
rucksack	un rucsac	*rooksak*
saucepan	o cratiţă	*krateetsuh*
sleeping bag	un sac de dormit	*sak deh dormeet*
tent	un cort	*kort*
thermos flask	un termos	*termos*
tin-opener	un deschizător de conserve	*deskeezutor deh konserveh*
torch	o lanternă	*lanternuh*

Can I camp here?
Pot campa aici?
pot kampa ich

Can we park the caravan here?
Putem parca rulota aici?
pootem parka roolota ıch

Where is the nearest campsite?
Unde este cel mai apropiat camping?
oondeh yesteh chel mı apropyat kampeeng

What is the charge per night?
Cît costă pe noapte?
kewt kostuh peh nwapteh

I only want to stay for one night
Vreau să stau numai o noapte
vrow suh stow noomay o nwapteh

We're leaving tomorrow
Plecăm mîine
plekum muh-ıneh

Can I light a fire here?
Pot face focul aici?
pot facheh fokool ıch

Where can I get ...?
Unde pot găsi ...?
oondeh pot gusee

Is there any drinking water?
Este apă potabilă?
yesteh apuh potabeeluh

Where are the showers?
Unde se află duşurile?
oondeh seh afluh dooshooreeleh

27

THINGS YOU'LL SEE

apă potabilă	drinking water
bucătărie	kitchen
duşuri	showers
foc	fire
lumină	light
paşaport	passport
tarif	scale of charges
toaletă	toilet

MOTORING

There is at present only one motorway in Romania, running from Bucharest to Piteşti, a distance of 116 km.

Drive on the right, overtake on the left. Give way to traffic coming from the right where no road has priority or at unmarked junctions. On roundabouts, priority is given to traffic coming from the right and to trams. You must not overtake a tram that has stopped to allow passengers to get off.

The speed limit on the motorway is 120 kph (75 mph). On other main roads it is 60 kph (45 mph), unless otherwise indicated. In built-up areas the limit is 40 kph (25 mph). Seat belts are not yet compulsory.

The opening hours of petrol and service stations vary, and there are far fewer of them than in Western Europe. It is therefore advisable to keep an eye on your tank and always carry a full can of petrol with you. Lead-free petrol is only available in major cities and even then the supply is erratic. Fuel ratings are as follows:

– normal (90 octane) – **regular** *(regoolar)*
– super (98 octane) – **premium** *(premyoom)*
– diesel – **motorină** *(motoreenuh)*
– unleaded – **benzină fără plumb** *(benzeenuh furuh ploomb)*

Extreme caution is required when driving at night. Beware of carts and bicycles which are poorly lit and often use the motorway and main roads, and of drunken pedestrians. When overtaking it is common practice to give a short signal on your horn. DO NOT DRINK AND DRIVE. The police are very strict and the blood alcohol limit is zero.

SOME COMMON ROAD SIGNS

autostradă	motorway
benzi de circulaţie	traffic lanes
cedează trecerea	give way
centru	centre
depăşirea interzisă	overtaking prohibited
drum asfaltat	surfaced road
drum denivelat	uneven road
drum înfundat	cul de sac
drum îngustat	narrow road
drum în lucru	road works
drum neasfaltat	unsurfaced road
intersecţie	junction
interzis la dreapta	no right turn
interzis la stînga	no left turn
intrarea oprită	no entry
limită de viteză	speed limit
parcare	parking
parcarea oprită	no parking
pericol	danger
pericol de derapare	slippery surface
prioritate de dreapta	give way to the right
punct de prim ajutor	first aid centre
sens giratoriu	roundabout
sens unic	one-way street
service	service station
spital	hospital
staţionarea limitată	waiting restricted
staţionarea oprită	no waiting
şcoală	school
şosea naţională	A-road
trecerea oprită	no entry
trecere de nivel	level crossing
trecere pietoni	pedestrian crossing

USEFUL WORDS AND PHRASES

automatic	automat	*owtomat*
battery	o baterie	*bateryeh*
boot	un portbagaj	*portbagazh*
brake *(noun)*	o frînă	*frewnuh*
brake pedal	o pedală de frînă	*pedaluh deh frewnuh*
bumper	o bară de protecţie	*baruh deh protektsyeh*
car	o maşină	*masheenuh*
caravan	o rulotă	*roolotuh*
clutch	un ambreiaj	*ambreh-yazh*
crossroads	o intersecţie	*eentersektsyeh*
engine	un motor	*motor*
exhaust	un eşapament	*eshapament*
fanbelt	o curea de ventilator	*koorya deh ventilator*
garage		
(for repairs)	un garaj	*garazh*
(for petrol)	o benzinărie, un service	*benzeenuh-ryeh, servees*
gear	o viteză	*veetezuh*
gears	viteze	*veetezeh*
gear box	o cutie de viteze	*kootyeh deh veetezeh*
handbrake	o frînă de mînă	*frewnuh deh mewner*
headlights	faruri	*faroor*
indicators	semnalizatoare	*semnaleezatwareh*
jack	un cric	*kreek*
licence	un carnet de conducere	*karnet deh kondoochereh*
lorry	un camion	*kamyon*
mirror	o oglindă	*ogleenduh*
motorbike	o motocicletă	*motocheekletuh*
motorway	o autostradă	*owtostraduh*
number plate	o tablă de înmatriculare	*tabluh deh ewnmatrikoolareh*
petrol	benzină	*benzeenuh*

rear lights	lumini din spate	*loomeen deen spateh*
rear-view mirror	o oglindă retrovizoare	*ogleenduh retroveezwareh*
reversing lights	lumini mers înapoi	*loomeen mers ewnapoy*
road	un drum	*droom*
skid *(verb)*	derapa	*derapa*
spares	piese de schimb	*pyeseh deh skimb*
spark plugs	bujii	*boozhee*
speed *(noun)*	viteză	*veetezuh*
speed limit	o limită de viteză	*leemeetuh deh veetezer*
speedometer	un vitezometru	*veetezometroo*
steering wheel	un volan	*volan*
tank	un rezervor	*rezervor*
traffic lights	un semafor	*semafor*
trailer	o remorcă	*remorkuh*
tyre	un cauciuc	*kowchyook*
van	o furgonetă	*foorgonetuh*
wheel	o roată	*rwatuh*
windscreen	un parbriz	*parbreez*
windscreen wiper	un ştergător	*shtergutor*

I'd like some petrol/oil/water
Aş vrea benzină/ulei/apă
ash vrya benzeenuh/oolay/apuh

Fill her up please!
Plinul, vă rog!
pleenool vuh rog

I'd like 35 litres of petrol
Aş vrea treizeci şi cinci de litri de benzină
ash vrya trayzech shee cheench deh leetree deh benzeenuh

Would you check the tyres please?
Vă rog să verificaţi cauciucurile
vuh rog ser vereefeekats kowchyookooreeleh

Do you do repairs?
Faceţi reparaţii?
fachets reparatsee

Can you repair the clutch?
Puteţi repara ambreiajul?
pootets repara ambreh-yazhool

How long will it take?
Cît durează?
kewt dooryazuh

Where can I park?
Unde pot parca?
oondeh pot parka

Can I park here?
Pot parca aici?
pot parka ıch

There is something wrong with the engine
Este ceva în neregulă la motor
yesteh cheva ewn neregooluh la motor

The engine is overheating
Motorul e supraîncălzit
motorool yeh soopra-ewnkulzeet

I need a new tyre
Am nevoie de un cauciuc nou
am nevoy-yeh deh oon kowchyook noh

MOTORING

I'd like to hire a car
Aş vrea să închiriez o maşină
ash vrya suh ewnkeeryez o masheenuh

Is there a mileage charge?
Este o taxă pe kilometru?
yesteh o taksuh peh keelometroo

Where is the nearest garage? *(for repairs/for petrol)*
Unde este cel mai apropiat garaj/service?
oondeh yesteh chel mı apropyat garazh/servees

How do I get to ...?
Cum ajung la ...?
koom azhoong la

Is this the road to ...?
Acesta este drumul spre ...?
achesta yesteh droomool spreh

DIRECTIONS YOU MAY BE GIVEN

a doua la stînga	second on the left
drept înainte	straight on
după ...	past the ...
faceţi la dreapta	turn right
faceţi la stînga	turn left
la dreapta	on the right
la stînga	on the left
prima la dreapta	first on the right

THINGS YOU'LL SEE AND HEAR

amendă	fine
benzină	petrol
benzină fără plumb	unleaded
benzinărie	petrol station
certificat de înmatriculare	registration document
certificat pentru starea	MOT certificate
tehnică a maşinii	
control vamal	customs
ieşire	exit
lichid de frînă	brake fluid
presiunea cauciucurilor	tyre pressure
staţie de benzină (PECO)	petrol station
ulei	oil
viteză maximă permisă	maximum permitted speed

Doriţi o maşină cu transmisie automată sau fără?
Would you like an automatic or a manual?

Carnetul/permisul de conducere, vă rog
May I see your licence?

Actele, vă rog
Your documents, please

TRAVELLING AROUND

AIR TRAVEL

The only airline that provides direct services every day from Britain to Romania is TAROM. TAROM also runs a domestic network linking the main cities with flights every day except Sundays. There is a regular bus service linking Romania's international airport, **Otopeni** (*otopen*), to Bucharest, a distance of 18 kilometres, but travel to and from Romania's provincial airports by public transport can sometimes be a problem. The traveller may have to rely on a taxi to get to and from the airport as airport buses do not always run due to mechanical problems and shortages of petrol.

Romanian airports are small and cramped. **Otopeni** is being enlarged and improved to bring its facilities up to the standard of most European airports. Passport control can take some time as visas are required by most foreign visitors and these have to be processed. Visas can be purchased at passport control or at Romanian embassies throughout the world. Customs are usually a formality but once past them be wary of the taxi drivers who swarm round the visitor offering their services at frequently exorbitant prices. Haggle with them over the fare before accepting a ride.

RAIL TRAVEL

Romanian trains are slow compared to British Intercity trains. There are three main types of train service: the slowest (normally local trains) are called **personale** (*personaleh*), direct trains are known as **accelerate** (*akchelerateh*), and the fastest are the express trains – **rapide** (*rapeedeh*).

It is advisable to book a seat reservation - **loc rezervat** (*lok rezervat*) – in advance. They are compulsory on the **rapide**. There are both first and second class carriages on the **accelerate** and **rapide**. Sleeping berths and couchettes are cheap but require advance booking.

LONG-DISTANCE BUS TRAVEL

For long-distance travel Romanians prefer the train to the bus and there are few long-distance bus services. Those that exist are slow and uncomfortable, and often erratic. There is a regular bus service linking Bucharest with Chişinău, the capital of the Republic of Moldavia.

LOCAL TRANSPORT

Most local buses, trolleybuses and trams in Romania are one-man operated. A ticket must be bought before the journey at any kiosk displaying the signs RATB or ITB and punched by the passenger on entering the bus. Since there is a flat fare, it is useful to buy a book of tickets called a **carnet** *(karnet)*.

There are three bus networks in Bucharest: ordinary buses, which call at every stop, **Expres** buses, which have fewer stops, and minibuses called **Maxi-taxi**, which have few stops and travel more quickly than the **Expres**. Tickets for the latter are sold by the minibus driver.

Bucharest has an extensive underground network. There is no ticket system and payment is made by simply inserting coins for each journey at the turnstile.

USEFUL WORDS AND PHRASES

adult	un adult	*adoolt*
airport	un aeroport	*iroport*
airport bus	un autobuz pentru aeroport	*owtobooz pentroo iroport*
aisle	culoar	*koolwar*
boarding card	un tichet de îmbarcare	*teeket deh ewmbarkareh*
boat	o barcă	*barkuh*
booking office	o casă de bilete	*kasuh deh beeleteh*
buffet	un bufet	*boofet*
bus	un autobuz	*owtobooz*

bus station	o autogară	*owtogaruh*
bus stop	o staţie de autobuz	*statsyeh deh owtobooz*
carriage	un vagon	*vagon*
check-in desk	un ghişeu de înregistrare	*geesheh-oo deh ewnrejeestrareh*
child	un copil	*kopeel*
coach	un autocar	*owtokar*
compartment	un compartiment	*komparteement*
connection	o legătură	*legutooruh*
couchette	o cuşetă	*kooshetuh*
cruise	o croazieră	*krwazyeruh*
Customs	vamă	*vamuh*
departure lounge	sală de plecare	*saluh deh plekareh*
domestic	intern	*intern*
emergency exit	o ieşire în caz de pericol	*yesheereh ewn kaz deh pereekol*
entrance	o intrare	*intrareh*
exit	o ieşire	*yesheereh*
fare	un bilet	*beelet*
ferry	un feribot	*fereebot*
first class	clasa întîia	*klasa ewntuh-iya*
flight	un zbor	*zbor*
flight number	numărul zborului	*noomurool zboroolwee*
gate *(at airport)*	o ieşire	*yesheereh*
international	internaţional	*eenternatsyonal*
left luggage office	un birou de bagaje	*beeroh deh bagazheh*
lost property office	un birou de obiecte pierdute	*beeroh deh obyekteh pyerdooteh*
luggage trolley	un cărucior	*kuroochyor*
non-smoking	nefumător	*nefoomutor*
number 5 bus	autobuzul numărul cinci	*owtoboozool noomurool cheench*
passport	un paşaport	*pashaport*
passport control	controlul paşapoartelor	*kontrolool pashap-wartelor*
platform	un peron, o linie	*peron, leenyeh*

port	un port	*port*
quay	chei	*kay*
railway	cale ferată	*kaleh feratuh*
reserved seat	un loc rezervat	*lok rezervat*
restaurant car	vagon restaurant	*vagon restowrant*
return ticket	un bilet dus-întors	*beelet doos-ewntors*
seat	un loc	*lok*
seat reservation	un loc rezervat	*lok rezervat*
second class	clasa a doua	*klasa a doh-wa*
ship	un vapor	*vapor*
single ticket	un bilet dus	*beelet doos*
sleeping car	vagon de dormit	*vagon deh dormeet*
smoking	fumător	*foomutor*
station	o gară	*garuh*
subway	un pasaj subteran	*pasazh soobteran*
taxi	un taxi	*taksee*
terminus	cap de linie	*kap deh leenyeh*
ticket	un bilet	*beelet*
timetable *(train)*	un mers al trenurilor	*mers al trenooreelor*
(bus)	un mers al autobuzelor	*mers al owtoboozelor*
train	un tren	*tren*
tram	un tramvai	*tramvɪ*
trolleybus	un troleibuz	*trolaybooz*
underground	metrou	*metroh*
visa	o viză	*veezuh*
waiting room	o sală de așteptare	*saluh deh ashteptareh*
window seat	un loc lîngă fereastră	*lok lewnguh feryastruh*

AIR TRAVEL

I'd like a non-smoking seat please
Aș vrea un loc la nefumători
ash vrya oon lok la nefoomutor

TRAVELLING AROUND

I'd like a window seat please
Aş vrea un loc la fereastră
ash vrya oon lok la feryastruh

Is this the right gate for the London flight?
Aceasta este ieşirea pentru zborul spre Londra?
achyasta yesteh yesheerya pentroo zborool spreh londra

How long will the flight be delayed?
Cu ce întîrziere va decola avionul?
koo cheh ewntewrzyereh va dekola avyonool

TRAIN, BUS, UNDERGROUND AND TRAM

When does the train/bus for Braşov leave?
Cînd pleacă trenul/autobuzul de Braşov?
kewnd plyakuh trenool/owtoboozool deh brashov

When does the train/bus from Cluj arrive?
Cînd soseşte trenul/autobuzul de Cluj?
kewnd soseshteh trenool/owtoboozool deh kloozh

When is the next/first/last train to Arad?
Cînd este următorul/primul/ultimul tren spre Arad?
kewnd yesteh oormutorool/preemool/oolteemool tren spreh arad

Do I have to change?
Trebuie să schimb?
treboo-yeh suh skeemb

Does the train/bus stop at Ploieşti?
Trenul/autobuzul opreşte la Ploieşti?
trenool/owtoboozool opreshteh la ploy-esht

How long does it take to get to Braşov?
Cît timp face pînă la Braşov?
kewt teemp facheh pewnuh la brashov

Where can I buy a ticket?
De unde pot cumpăra un bilet?
deh oondeh pot koompura oon beelet

Could you help me get a ticket?
Puteţi să mă ajutaţi să cumpăr un bilet?
pootets suh muh azhootats suh koompur oon beelet

What is the fare to Arad?
Cît costă biletul pînă la Arad?
kewt kostuh beeletool pewnuh la arad

A single/return ticket to Bucharest please
Un bilet dus/dus-întors la Bucureşti, vă rog
oon beelet doos/doos-ewntors la bookooresht, vuh rog

Do I have to pay a supplement?
Trebuie să plătesc un supliment?
treboo-yeh suh plutesk oon soopleement

I'd like to reserve a seat
Aş vrea să rezerv un loc
ash vrya suh rezerv oon lok

Is this the right train/bus for Cluj?
Acesta e trenul/autobuzul de Cluj?
achesta yeh trenool/owtoboozool deh kloozh

Is this the right platform for the Sinaia train?
Aceasta e linia pentru trenul de Sinaia?
achyasta yeh leenya pentroo trenool deh seeni-a

41

TRAVELLING AROUND

From which platform does the train for Sibiu leave?
De la ce linie pleacă trenul de Sibiu?
deh la cheh leenyeh plyakuh trenool deh seebyoo

Is the train/bus late?
Trenul/autobuzul are întîrziere?
trenool/owtoboozool areh ewntewrzyereh

Could you help me with my luggage please?
Puteţi să mă ajutaţi la bagaje, vă rog?
pootets suh muh azhootats la bagazheh vuh rog

Is this a non-smoking compartment?
Acesta e un compartiment pentru nefumători?
achesta yeh oon komparteement pentroo nefoomutor

Is this seat free?
E liber acest loc?
yeh leeber achest lok

This seat is taken
Acest loc e ocupat
achest lok yeh okoopat

I have reserved this seat
Am tichet pentru acest loc
am teeket pentroo achest lok

May I open/close the window?
Pot deschide/închide fereastra?
pot deskeedeh/ewnkeedeh feryastra

When do we arrive in Braşov?
Cînd ajungem la Braşov?
kewnd azhoonjem la brashov

What station/bus stop is this?
Ce gară/staţie e asta?
cheh garuh/statsyeh yeh asta

Would you keep an eye on my things for a moment?
Puteţi avea grijă de lucrurile mele un moment?
pootets avya greezhuh deh lookroo-reeleh meleh oon moment

Is there a restaurant car on this train?
E un vagon restaurant în tren?
yeh oon vagon restowrant ewn tren

Where is the nearest underground station?
Unde este staţia de metrou cea mai apropiată?
oondeh yesteh statsya deh metroh chya mi apropyatuh

Where is the bus station?
Unde este autogara?
oondeh yesteh owtogara

Where is there a bus stop?
Unde este o staţie de autobuz?
oondeh yesteh o statsyeh deh owtobooz

Which buses go to North Station?
Ce autobuze merg la Gara de Nord?
cheh owtoboozeh merg la gara deh nord

How often do the buses/trams to Union Square run?
La cît timp vin autobuzele/tramvaiele spre Piaţa Unirii?
la kewt teemp veen owtoboozeleh/tramvi-eleh spreh pyatsa ooneeree

Would you let me know when we're there?
Puteţi să-mi spuneţi cînd ajungem?
pootets sum spoonets kewnd azhoonjem

43

TRAVELLING AROUND

Do I have to get off yet?
Aici trebuie să cobor?
ıch treboo-yeh suh kobor

How do you get to Herăstrău Lake?
Cum se poate merge la Lacul Herăstrău?
koom seh pwateh merjeh la lakool herustrow

Do you go near the Museum of Art?
Mergeţi aproape de Muzeul de Artă?
merjets aprwapeh deh Moozeh-ool deh artuh

TAXI

Where can I get a taxi from?
De unde pot lua un taxi?
deh oondeh pot lwa oon taksee

I want to go to Ateneu
Vreau să merg la Ateneu
vrow suh merg la ateneh-oo

I'll give you 500 lei
Vă dau cinci sute de lei
vuh dow cheench sooteh deh lay

Please stop here
Opriţi aici, vă rog
opreets ıch vuh rog

I'd like a receipt please
Aş vrea un bon, vă rog
ash vrya oon bon vuh rog

44

I would like you to wait for me here and take me back
Aş vrea să mă aşteptaţi aici şi să mă duceţi înapoi
ash vrya suh muh ashteptats ich shee suh muh doochets ewnapoy

Keep the change
Păstraţi restul
pustrats restool

REPLIES YOU MAY BE GIVEN

Următorul tren pleacă la unsprezece
The next train leaves at 11 am

Schimbaţi la Gara de Nord
Change at North Station

Trebuie să plătiţi un supliment
You have to pay a supplement

Nu mai sînt bilete pentru Cluj
There are no more seats available for Cluj

THINGS YOU'LL HEAR

Atenţie
Attention

Pasagerii pentru Londra sînt invitaţi la avion
The flight for London is now boarding

→

45

Pasagerii sînt invitaţi în sala de plecare, ieşirea numărul patru
Passengers are requested to proceed to the departure lounge at gate number four

Poftiţi în vagoane
Board the train

Trenul numărul zece cu destinaţia Cluj pleacă de la linia cinci peste opt minute
Train number ten for Cluj will leave from platform five in eight minutes

Trenul numărul douăzeci de la Cluj soseşte la linia trei peste zece minute
Train number twenty from Cluj will arrive at platform three in ten minutes

Trenul numărul zece de la Arad întîrzie treizeci de minute
Train number ten from Arad is thirty minutes late

Pregătiţi biletele pentru control
Tickets ready, please

Paşaportul, vă rog
Your passport, please

Deschideţi valizele, vă rog
Open your suitcases, please

Aveţi ceva de declarat?
Do you have anything to declare?

THINGS YOU'LL SEE

accelerate	direct train
adulţi	adults
agenţie de voiaj	travel agent
apel	call stewardess
autobuz pentru aeroport	airport bus
bărbaţi	gents
bilet	ticket
bilet de peron	platform ticket
birou de bagaje	left luggage office
Căile Ferate Române	Romanian Railways
călătorie	journey
CFR	Romanian Railways
coborîrea prin faţă/spate	alight from front/rear door
coborîrea prin mijloc	alight from middle door
compartiment	compartment
controlul bagajelor	baggage inspection
controlul paşapoartelor	passport control
copii	children
cuşetă	couchette
declaraţie vamală	customs declaration
escală	stop-over
excedent de bagaje	excess baggage
Expres	limited stop bus
femei	ladies
fumatul interzis	smoking forbidden
fumatul oprit	smoking prohibited
fumători	smokers
gratuit	free, no charge
ieşire	exit; gate
ieşire în caz de pericol	emergency exit
informaţii	enquiries, information
intrare	entrance
intrarea interzisă	entry prohibited

→

intrarea oprită	no entrance
întîrziere	delay
ITB	Bucharest Transport
legaţi-vă centurile de siguranţă	fasten your seat-belts
liber	free, vacant
loc	seat
M	underground
Maxi-taxi	minibus
mersul trenurilor	timetable
nefumători	non-smoking
nu fumaţi	no smoking
număr de bord	seat number
nu vă aplecaţi în afară	do not lean out of the window
ocupat	engaged
ora locală	local time
orarul zborurilor	flight times
pasageri	passengers
pericol	danger
peron	platform
personale	slow train
plecare	departure
plecări	departures
plin	full
rapide	express
RATB	Bucharest Transport System
sală de aşteptare	waiting room
semnal de alarmă	emergency cord
sosire	arrival
sosiri	arrivals
staţie de autobus	bus station
staţie de metrou	underground station
staţie de tramvai	tram station
staţie de troleibuz	trolleybus station
staţie facultativă	request stop

→

supliment de viteză	fast train supplement
TAROM	Romanian airlines
toaletă	toilet
urcarea prin faţă/spate	entry at front/rear door
urcarea prin mijloc	entry at middle door
vagon de dormit	sleeping car
vagon restaurant	restaurant car
vestă de salvare	life jacket
zbor	flight
zbor cu escală	flight with a stop
zbor direct	direct flight

RESTAURANTS

While many restaurants in Romania still display the category markings of the former state-run Ministry of Tourism (indicated simply by I, II and III), you will find that there are many new private restaurants which do not. Generally speaking, in a category I restaurant you can expect to be offered a fine range of dishes in comfortable surroundings. The higher the category, the higher the price. Most large hotels have a category I restaurant. However, it is worth exploring the many new private restaurants which have opened in Bucharest (there are far fewer in the provincial towns), some of which offer ethnic cuisine such as Chinese and Turkish and are very good value. As well as the **restaurante** *(restowrąnteh)* there are other places where you can eat and drink:

Braserie *(braseryeh)* is a combined bar, café and restaurant. Service is provided at the table. There is usually a good variety of dishes available at reasonable prices.

Cafe-bar is convenient if you just want a quick snack. It serves coffee, tea, soft and alcoholic drinks.

Snack-bar is similar to a **cafe-bar**.

Cofetărie *(kofetuh-ryeh)* is a cake shop that also serves tea, coffee and ice-cream.

Podgorie *(podgoryeh)* is a wine bar. Food is not sold here.

Berărie *(beruh-ryeh)* is a public house. Serious drinking is often done here. Women do not usually go to a **berărie**.

USEFUL WORDS AND PHRASES

beer	o bere	*bereh*
bill	o plată, o notă	*platuh, notuh*
bottle	o sticlă	*steekluh*
bread	pîine	*puh-ineh*
cake	o prăjitură	*pruzheetooruh*
chef	un bucătar	*bookutar*
coffee	o cafea	*kafya*
cup	o ceaşcă	*chyashkuh*
dry wine	vin sec	*veen sek*
fork	o furculiţă	*foorkooleetsuh*
glass	un pahar	*pahar*
knife	un cuţit	*kootseet*
menu	un meniu	*menyoo*
milk	lapte	*lapteh*
plate	o farfurie	*farfooryeh*
receipt	o chitanţă	*cheetantsuh*
red wine	vin roşu	*veen roshoo*
salt	sare	*sareh*
sandwich	un sandviş	*sanveesh*
serviette	un şerveţel	*shervetsel*
snack	o gustare	*goostareh*
soup	supă	*soopuh*
spoon	o lingură	*leengooruh*
sugar	zahăr	*zahur*
table	o masă	*masuh*
tea	un ceai	*chı*
teaspoon	o linguriţă	*leengooreetsuh*
tip	un bacşiş	*baksheesh*
waiter	un chelner	*kelner*
waitress	o chelneriţă	*kelnereetsuh*
water	apă	*apuh*
wine	vin	*veen*
wine list	o listă de vinuri	*leestuh deh veenoor*

51

A table for one please
O masă pentru o persoană, vă rog
o masuh pentroo o perswanuh vuh rog

A table for two please
O masă pentru două persoane, vă rog
o masuh pentroo doh-wuh perswaneh vuh rog

Waiter/waitress!
Dacă sînteţi bun!
dakuh sewntets boon

Can I see the menu/wine list?
Puteţi să-mi daţi meniul/lista de vinuri?
pootets sum dats menyool/leesta deh veenoor

What would you recommend?
Ce ne puteţi recomanda?
cheh neh pootets rekomanda

Can we have a local wine?
Puteţi să ne daţi un vin local?
pootets suh neh dats oon veen lokal

Can we try a local speciality?
Puteţi să ne daţi o specialitate locală?
pootets suh neh dats o spechyaleetateh lokaluh

I'd like ...
Aş vrea ...
ash vrya

Just a snack please
Numai o gustare, vă rog
noomı o goostareh vuh rog

Just a cup of coffee, please
Numai o cafea, vă rog
noomı o kafya vuh rog

Is there a set menu?
Este un meniu fix?
yesteh oon menyoo feex

I didn't order this
N-am comandat asta!
nam komandat asta

May we have some more ...?
Mai dorim ...
mı doreem

The meal was very good, thank you
Mîncarea a fost foarte bună, mulţumesc
mewnkarya a fost fwarteh boonuh mooltsoomesk

Can we have the bill, please?
Plata, vă rog
plata vuh rog

My compliments to the chef!
Felicitări bucătarului!
feleecheetuh bookurtaroolwee

I think there's a mistake in the bill
Cred că este o greşeală în notă
kred kuh yesteh o greshyaluh ewn notuh

THINGS YOU'LL HEAR

Ce doriţi?
What would you like?

Mai doriţi ...?
Would you like some more ...?

Nu avem nici o masă liberă
We have no free tables

Nu avem ...
We don't have any ...

afină	bilberry
afumat	smoked
alune	hazelnuts
ananas	pineapple
andive	endives
antricot	entrecôte steak
apă minerală	mineral water
aperitive	starters
ardei graşi	green peppers
ardei iuţi	chilli peppers
ardei umpluţi	stuffed peppers
babic	smoked sausage
baclava	fine, layered pastry with a filling of honey and nuts
banane	bananas
băuturi	drinks
băuturi alcoolice	alcoholic drinks
berbec	mutton
bere	beer
bere blondă	light ale
bere neagră	brown ale
biftec	steak
biscuiţi	biscuits
bomboane	sweets
borş	borsch - sour soup made with meat or vegetables
borş de sfeclă	beetroot soup
brînză	cheese
brînză afumată	smoked cheese
brînză de burduf	sheep's milk cheese served wrapped in fir-tree bark
brînză de oi	sheep's milk cheese
brînză de vaci	cottage cheese
budincă	pudding
budincă de brînză	cheese pudding
budincă de carne	meat pudding
budincă de spanac	spinach pudding
bulion	tomato paste

cafea	coffee
cafea expresso	espresso
cafea turcească	Turkish coffee
café frappé	black coffee with ice cream
café glacé	black coffee with whipped cream and vanilla flavouring
carne	meat
cartofi	potatoes
cașcaval	cheese, similar to cheddar
cataif	cream cake made from puff pastry
căpșuni	strawberries
ceai	tea
ceapă	onion
chiflă	bread roll
chiftele prăjite	fried meatballs
ciorbă	soup
ciorbă de fasole	bean soup
ciorbă de perișoare	soup with meatballs
ciorbă de potroace	giblet soup
ciorbă de vacă	beef soup
ciorbă grecească	beef soup with soured cream
ciorbă țărănească	soup with meat and vegetables
ciuperci	mushrooms
cîrnați	sausages
clătite	pancakes
coacăze negre	blackcurrants
coacăze roșii	redcurrants
coniac	brandy
conopidă	cauliflower
conopidă cu ciuperci	cauliflower with mushrooms
conopidă la cuptor	baked cauliflower
cornuri	horn-shaped rolls
cotlet de miel	lamb cutlet
cozonac	Madeira cake
crap	carp
crap prăjit	fried carp
crap rasol	boiled carp
creier	brains
creier pane	brains in breadcrumbs
cremă de cafea	café crème

cremă de ciocolată	chocolate whip
cremă de nuci	walnut whip
cremă de vanilie	vanilla whip
cremă de zahăr ars	crème caramel
creveți	shrimps, prawns
creveți cu maioneză	prawn cocktail
crochete de cașcaval	cheese croquettes
curcan	turkey
curmale	dates
dovleac	marrow
dovlecei	courgettes
dovlecei cu brînză	courgettes with cheese
dovlecei cu unt și smîntînă	courgettes with butter and soured cream
dud	mulberry
dulceață	fruit preserve
dulciuri	sweets, desserts
escalop cu sos de vin	escalope in wine sauce
escalop de vițel cu ciuperci	veal escalope with mushrooms
fasole	beans, kidney beans
fasole bătută	humous, chick pea spread
fasole verde cu carne	string beans with meat
fasole verde cu smîntînă	string beans with soured cream
fazan	pheasant
ficat	liver
ficat de gîscă	goose liver
ficat de porc	pork liver
ficat de vițel	veal liver
ficat la grătar	grilled liver
ficăței de pui	chicken livers
fiert	boiled
file de șalău	fillet of pike
fragi	wild strawberries
frigărui	kebab
fript	fried, roast
friptură de	fried, roast
friptură de miel	fried lamb chop
friptură de pui	fried chicken
friptură de vacă	beef steak or chop
frișcă	whipped cream
fructe	fruit

fursecuri	petits fours, langues de chat
găină	chicken
gem de caise	apricot jam
gem de căpșuni	strawberry jam
gem de prune	plum jam
gheață	ice
ghiudem	smoked goats' meat sausage
ghiveci	ratatouille
ghiveci cu carne	meat and vegetable stew
gîscă	goose
gîscă pe varză	goose with cabbage
grătar	grill
grepfrut	grapefruit
gustări	snacks; hors d'oeuvres
heringi	herrings
homar	lobster
iaurt	yoghurt
icre de crap	carp roe, caviar
icre de Manciuria	red caviar
icre tarama	taramasalata (fish roe pâté)
iepure cu măsline	rabbit with olives
înghețată	ice cream
înghețată de cafea	coffee ice cream
înghețată de ciocolată	chocolate ice cream
înghețată de fructe	fruit ice cream
înghețată de vanilie	vanilla ice cream
la cuptor	roast
la grătar	grilled
langustă	crab, lobster
lapte	milk
lămîie	lemon
legume	vegetables
leuștean	lovage
lichior	liqueur
limbă	tongue
limbă cu măsline	tongue with olives
limbă în aspic	tongue in jelly
limbă rasol	boiled tongue
limonadă	lemonade
linte	lentils
macaroane	macaroni

macaroane cu brînză	macaroni cheese
maioneză	mayonnaise
marmeladă	marmalade, jam
mazăre	peas
măduvioare	sweetbreads
mămăligă	polenta (type of porridge made from cornmeal)
mămăligă cu brînză la cuptor	baked polenta with cheese
mămăligă cu ochiuri	polenta with fried eggs
mămăligă cu smîntînă	polenta with soured cream
mărar	dill
măsline negre	black olives
măsline verzi	green olives
melci	snails
meniu fix	set menu
mentă	mint
mere	apples
miel	lamb
miere	honey
migdale	almonds
mititei	skinless sausages
mîncare vegetariană	vegetarian dishes
momițe	sweetbreads
morcovi	carrots
morun	sturgeon
murături	pickles
mure	blackberries
musaca	moussaka
mușchi de porc	fillet pork
mușchi de vacă	fillet steak
ness	Nescafé ®
nisetru	sturgeon
nuci	walnuts
nucșoară	nutmeg
nuga	nougat
ochiuri cu cașcaval	fried eggs with cheese
ochiuri cu ciuperci	fried eggs with mushrooms
ochiuri cu șuncă	ham and eggs
omletă	omelette
omletă cu brînză	cheese omelette
omletă cu roșii	tomato omelette

omletă cu spanac	spinach omelette
omletă cu şuncă	ham omelette
omletă cu verdeţuri	herb omelette
oranjadă	orangeade
orez	rice
orez cu lapte	rice pudding
ouă	eggs
ouă cu maioneză	eggs with mayonnaise
ouă fierte moi	soft-boiled eggs
ouă la pahar	poached eggs
ouă umplute	stuffed eggs
oţet	vinegar
papanaşi	small cheese pancakes
pasăre	poultry
paste făinoase	pasta
pate de ficat	liver pâté
pate de gîscă	goose pâté
pateu cu brînză	cheese pasties
pateu cu carne	meat pasty
pateuri	pasties
pastramă de porc	salted and smoked pork
păstîrnac	parsnip
păstrăv	trout
pătrunjel	parsley
pepene galben	melon
pepene verde	water melon
pere	pears
perişoare	meatballs
peşte	fish
peşte la cuptor	baked fish
peşte prăjit	fried fish
peşte rasol	boiled fish
piept de pasăre	chicken breast
piersici	peaches
piftie de pasăre	chicken in aspic or gelatine
piftie de porc	pork aspic or gelatine
pilaf	boiled rice
pilaf de dovlecei	boiled rice with courgettes
pilaf de pasăre	chicken pieces in boiled rice
piper	pepper
pişcoturi	sweet finger-shaped biscuits

pîine	bread
pîine prăjită	toast
pîrjoale	rissoles
plăcintă	pie
plăcintă cu brînză	cheese pie
plăcintă cu carne	meat pie
porc	pork
porc mistreţ	wild boar
portocală	orange
prăjitură	small cake
prepeliţă	quail
prune	plums
prune uscate	prunes
pui	chicken
pui de baltă	frogs' legs
pulpă de berbec	leg of mutton
pulpă de căprioară	leg of venison
pulpă de porc	leg of pork
pulpă de vacă	leg of beef
raci	crab
rasol	boiled
raţă	duck
raţă cu măsline	duck with olives
raţă pe varză	duck with cabbage
raţă sălbatică	wild duck
ridichi	radishes
rinichi	kidneys
rozmarin	rosemary
roşii	tomatoes
roşii umplute cu brînză	tomatoes stuffed with cheese
roşii umplute cu salată de vinete	tomatoes stuffed with aubergine purée
salam	salami
salată	salad
salată de ardei copţi	pickled aubergines
salată de boeuf	potato salad with meat and peppers
salată de cartofi	potato salad
salată de castraveţi	gherkin salad
salată de fructe	fruit salad
salată de roşii	tomato salad

61

salată de sfeclă	pickled beetroot salad
salată de varză	pickled cabbage salad
salată de vinete	aubergine salad
salată verde	lettuce
sandvici	sandwiches
saramură de crap	carp in brine
sardele	sardines
sare	salt
sarmale	vine or cabbage leaves stuffed with minced meat
sarmale în foi de varză	cabbage leaves stuffed with minced meat
sarmale în foi de viţă	vine leaves stuffed with minced meat
scrumbii	kippers
sfeclă	beetroot
sifon	soda water
sirop	fruit squash or cordial
slănină	lard
smîntînă	soured cream
smochine	figs
somon	salmon
somon afumat	smoked salmon
sos	sauce, gravy
sos de ciuperci	mushroom sauce
sos de hrean	horseradish sauce
sos de mărar	dill sauce
sos de roşii	tomato sauce
sos de vin alb	white wine sauce
spaghete	spaghetti
spanac	spinach
sparanghel	asparagus
specialităţi	specialities
stridii	oysters
struguri	grapes
suc de ananas	pineapple juice
suc de fructe	fruit juice
suc de lămîie	lemon juice
suc de portocale	orange juice
suc de roşii	tomato juice
supă de cartofi	potato soup

supă de ciuperci	mushroom soup
supă de fasole	bean soup
supă de pui	chicken soup
supă de roşii	tomato soup
supă de zarzavat	vegetable soup
supe	soups
susan	sesame seed
şalău	pike
şampanie	champagne
şniţel	schnitzel
ştevie	sorrel
ştiucă	pike
ştrudel	strudel
şuncă	ham
şvaiţer	Emmenthal cheese
tarhon	tarragon
tartă cu fructe	fruit tart
tarte cu ciuperci	mushroom tarts
tartină cu icre	small slice of bread with caviar
tăiţei	noodles
telemea de oi	feta cheese
telemea de vacă	white salty cows' cheese
tocană	stew
tocătură	mince
ton	tuna fish
tort	layer cake
tort de ciocolată	chocolate cake
tort de mere	apple cake
tort de nuci	walnut cake
tort Joffre	small chocolate cake
trufe	truffles
turtă dulce	gingerbread
ţelină	celery
ţuică	plum brandy
ulei	oil
ulei de floarea soarelui	sunflower oil
ulei de măsline	olive oil
umpluţi	stuffed
unt	butter
usturoi	garlic
vacă	beef

MENU GUIDE

varză	cabbage
varză acră	sauerkraut
varză albă	white cabbage
varză roşie	red cabbage
verdeţuri	herbs
vermut	vermouth
vin alb	white wine
vin de masă	table wine
vin demisec	medium dry wine
vin dulce	sweet wine
vin rose	rosé wine
vin roşu	red wine
vin sec	dry wine
vin spumos	sparkling wine
vinete	aubergines
vişinată	cherry liqueur
viţel	veal
vînat	game
vodcă	vodka
vrăbioară de vacă	sirloin steak
whisky cu gheaţă	scotch on the rocks
zacuscă	ratatouille
zahăr	sugar
zahăr cubic	sugar lumps
zahăr pudră	castor sugar
zahăr tos	granulated sugar
zarzarvat	vegetables
zmeură	raspberries

SHOPS AND SERVICES

The opening hours of Romanian shops vary so it is best to check them out if you have a particular shop in mind. Besides, you might find that the shop you want to visit is closed for an **inventar** (stocktaking), a practice much more common than in Western Europe. As a rough guide, most foodshops are open from 8 am to 6pm; most other shops from 9 am to 6 pm. Few shops are open on Saturdays and all are closed on Sundays. Bakeries close at midday on Friday and do not reopen until Monday. As bread is unavailable in other shops, it is advisable to buy a good supply of it for the weekend.

Cosmetics and toiletries can be bought at a **drogherie** (*drogheryeh*) but medicines and cotton wool can only be obtained from a **farmacie** (*farmachyeh*). Toilet paper, detergents and soap are to be found in an **alimentară** (*aleementaruh*), where you can also buy tinned foods, cheese, salami etc. Romanians prefer to buy fresh fruit and vegetables in the open air markets, **piaţă** (*pyatsuh*), which you find in all the major cities and towns. Newspapers and magazines are on sale on the streets and in kiosks.

One word of advice: be patient and understanding. The Romanian economy is still in a period of transition and demand for goods often outstrips supply. Queues are a familiar sight, particularly for milk and bread. Occasionally shoppers become frustrated, and shop assistants irritable. A smile will have a soothing effect.

Men's hairdressers are cheap by Western standards and you will find that many Romanian men also have a shave there. Ladies' hairdressers frequently have a beauty parlour on the premises. It is a good idea to take your own shampoo with you if you want your hair washed as you may find Romanian shampoo rather astringent. It is customary to leave the hairdresser a tip of at least 15 per cent.

USEFUL WORDS AND PHRASES

bakery	o brutărie	*brootuh-yeh*
bookshop	o librărie	*leebruh-yeh*
butcher's	o măcelărie	*mucheluh-ryeh*
buy	cumpăra	*koompura*
cake shop	o cofetărie	*kofetuh-ryeh*
cheap	ieftin	*yefteen*
chemist's	o farmacie	*farmachyeh*
confectioner's	o cofetărie	*kofetuh-ryeh*
department store	un magazin universal	*magazeen ooneeversal*
dry cleaner's	o spălătorie chimică	*spulutoryeh keemeekuh*
electrical goods	aparate electrice	*aparateh elektricheh*
fashion	modă	*moduh*
fishmonger	o pescărie	*peskuh-ryeh*
florist's	o florărie	*floruh-ryeh*
greengrocer's	un aprozar	*aprozar*
grocer's	o băcănie	*bukunyeh*
hairdresser's		
(men's)	un frizer	*freezer*
(women's)	un coafor	*kwafor*
handicrafts	artizanat	*arteezanat*
hardware shop	un magazin de menaj	*magazeen deh menazh*
jeweller's	bijuterii	*beezhooteree*
ladies' wear	îmbrăcăminte pentru femei	*ewmbrukumeenteh pentroo femay*
market	o piață	*pyatsuh*
menswear	îmbrăcăminte pentru bărbați	*ewmbrukumeenteh pentroo burbats*
newsagent's	ziare şi reviste	*zyareh shee reveesteh*
receipt	un bon	*bon*
record shop	un magazin de discuri	*magazeen deh deeskoor*
sale	solduri	*soldoor*
shoe repairer's	un cizmar	*cheezmar*

shoe shop	încălțăminte	*ewnkultsumeenteh*
shop assistant		
(man)	un vînzător	*vewnzutor*
(woman)	o vînzătoare	*vewnzutwareh*
shop	un magazin	*magazeen*
special offer	o ofertă specială	*ofertuh spechyaluh*
spend	cheltui	*keltwee*
stationer's	o papetărie	*papetuh-yeh*
tailor	un croitor	*kroytor*
till	o casă	*kasuh*
tobacconist's	o tutungerie	*tootoonjeryeh*
toyshop	jucării	*zhookuree*
travel agent	o agenţie de voiaj	*ajentsyeh deh voyazh*

Excuse me, where is/are ...?
Vă rog, unde este ...?
vuh rog oondeh yesteh

Where is there a ... shop?
Unde este un magazin de ...?
oondeh yesteh oon magazeen deh

Where is the ... department?
Unde este raionul de ...?
oondeh yesteh rı-onool deh

Is there an outdoor market here?
Este o piaţă?
yesteh o pyatsuh

When does the market open?
Cînd se deschide piaţa?
kewnd seh deskeedeh pyatsa

67

SHOPS AND SERVICES

I'd like ...
Aş vrea ...
ash vrya

Do you have ...?
Aveţi ...?
avets

How much is this?
Cît costă asta?
kewt kostuh asta

Where do I pay?
Unde plătesc?
oondeh plutesk

Do you take credit cards?
Pot plăti cu o carte de credit?
pot plutee koo o karteh deh kredeet

I think perhaps you've short-changed me
Cred că mi-aţi dat restul greşit
kred kuh myats dat restool gresheet

Can I have a receipt?
Puteţi să-mi daţi un bon?
pootets sum dats oon bon

Can I have a bag, please?
Puteţi să-mi daţi o pungă, vă rog?
pootets sum dats o poonguh vuh rog

I'm just looking
Vreau să arunc o privire
vrow suh aroonk o preeveereh

I'll come back later
Mă întorc mai tîrziu
muh ewntork mı tewrzyoo

Do you have any more ...?
Mai aveţi ...?
mı aveţs

Have you anything cheaper?
Aveţi ceva mai ieftin?
aveţs cheva mı yefteen

Have you anything larger/smaller?
Aveţi ceva mai mare/mai mic?
aveţs cheva mı mareh/mı meek

Can I try it on?
Pot să probez?
pot suh probez

Does it come in other colours?
Aveţi şi în alte culori?
aveţs shee ewn alteh koolor

Could you wrap it for me?
Puteţi să împachetaţi?
pooteţs suh ewmpaketaţs

I'd like to change this, please
Aş vrea să schimb asta, vă rog
ash vrya suh skeemb asta vuh rog

I don't have the receipt
Nu am chitanţa
noo am kitantsa

Can I have a refund?
Puteţi să-mi daţi banii înapoi?
pootets sum dats banee ewnapoy

What's the price per kilo?
Cît costă un kilogram?
kewt kostuh oon keelogram

Could you write that down?
Puteţi să scrieţi?
pootets suh skryets

I'll have a piece of that cheese
Nişte brînză, vă rog
neeshteh brewnzuh vuh rog

About 250/500 grams
Cam două sute cincizeci/cinci sute de grame
kam doh-wuh sooteh cheenchzech/cheench sooteh deh grameh

A kilo/half a kilo of ..., please
Un kilogram/o jumătate de kilogram de ..., vă rog
oon keelogram/o zhoomutateh deh keelogram deh ... vuh rog

Can you mend this?
Puteţi repara asta?
pootets repara asta

I'd like this skirt/these trousers dry-cleaned
Vă rog să-mi curăţaţi chimic această fustă/aceşti pantaloni
vuh rog sum koorutsats keemeek achyastuh foostuh/achesht pantalon

When will it/they be ready?
Cînd va/vor fi gata?
kewnd vor fee gatah

I'd like to make an appointment
Aş vrea să-mi fixaţi o oră
ash vrya sum feeksats o oruh

I want a cut and blow-dry
Aş vrea un tuns şi să-mi uscaţi părul cu foenul
ash vrya oon toons shee sum ooskats purool koo fernool

Just a trim, please
Numai aranjat/potrivit, vă rog
noomı aranzhat/potreeveet vuh rog

A bit more off here, please
Puţin mai scurt aici, vă rog
pootseen mı skoort ıch vuh rog

Not too much off!
Nu prea scurt!
noo prya skoort

→

71

Vă servesc într-o clipă
I'll be with you in a moment

Rugăm nu atingeţi
Please don't touch

Asta-i tot?
Is that all?

Mai doriţi ceva?
Do you want something else?

Aveţi mărunt?
Have you got any small change?

Poftiţi restul
Here's the change

Cum îl doriţi?
How would you like it?

THINGS YOU'LL SEE

agentie de voiaj	travel agent's
alimentară	grocer's
anticariat	second-hand bookseller
aparate electrice	electrical goods
articole de menaj	household goods
articole de sport	sports goods
articole pentru	
nou-născuţi	baby wear
artizanat	handicrafts
ascensor	lift

→

autoservire	self-service
băuturi spirtoase	alcoholic drinks
berărie	public house
bijuterii	jewellery
blănuri	furs
brînzeturi	cheese
cafenea	coffee house
calitate superioară	high quality
carne	meat
cofetărie	patisserie
confecții	ready-to-wear clothes
consignație	antiques
covoare	carpets
delicatese	delicatessen
deschis	open
drogherie	toiletries and cosmetics shop
dulciuri	sweets
etaj	floor
farmacie	chemist's
flori	flowers
fructe	fruit
galanterie	haberdashery, hosiery
ieftin	cheap
imprimeuri	printed fabrics
inventar	(closed for) stocktaking
îmbrăcăminte	clothing
încălțăminte	footwear
închirieri	items for hire
închis	closed
jucării	toys
lactate	dairy products
legume	vegetables
lenjerie	lingerie
librărie	bookshop
marochinărie	leather goods

→

SHOPS AND SERVICES

menaj	household goods
mercerie	haberdashery
mezeluri	sausage meats
modă	fashion
parfumerie	perfumery
parter	ground floor
patiserie	patisserie
piaţă	market
pîine	bread
preţ	price
primim marfă	(closed for) taking delivery of goods
proaspăt	fresh
raion	department
reduceri	reductions
solduri	sale
spălătorie chimică	dry cleaner's
subsol	basement
tricotaje	knitwear
tutungerie	tobacconist's
ţesături	fabrics
vinuri	wines
ziare şi reviste	newsagent's

SPORT

Romanians are keen spectators of football, boxing, volleyball and gymnastics and Romanian sportsmen and women have a formidable record in these and other sports at international level. The lakes to the north of Bucharest are suitable for water sports although facilities are yet to be organized to cater for tourists' needs.

There are no facilities for golf, but you will find tennis courts at the Dinamo sports club and volleyball courts at the Sala Sporturilor (*sala sportooreelor*) in Bucharest.

The Black Sea coast provides excellent opportunities for swimming, water-skiing, sailing and sailboarding. A flag warning system operates on most beaches: red for 'dangerous' and green for 'all clear'. Hiring equipment is not always easy since demand exceeds supply.

Special permits are required for fishing and hunting, and it's best to make enquiries about acquiring them before arranging your trip if the sole purpose of your visit is to pursue these sports. Romania's many forests and mountains are ideal for hiking – but stick to the marked trails!

Skiing is the main winter sport. The most popular ski resort is at Poiana Braşov in the Carpathian mountains and there are others in the Prahova Valley at Sinaia and Predeal.

USEFUL WORDS AND PHRASES

athletics	atletism	*atleteesm*
badminton	badminton	*badmeenton*
ball	o minge	*meenjeh*
beach	o plajă	*plazhuh*
bicycle	o bicicletă	*beecheekletuh*
boxing	box	*boks*
canoe	o canoe	*kanoy-eh*
canoeing	canotaj	*kanotazh*
cycling	ciclism	*cheekleesm*
deckchair	un şezlong	*shezlong*

75

diving board	o trambulină	*tramboolee̠nuh*
fishing	pescuit	*pesk<u>wee̠t</u>*
fishing rod	o undiţă	*o̠ondeetsuh*
football	fotbal	*fo̠tbal*
football match	un meci de fotbal	*mech deh fo̠tbal*
goggles	ochelari de protecţie	*okela̠r deh protektsyeh*
gymnastics	gimnastică	*geemna̠steekuh*
ice hockey	hochei pe gheaţă	*hoka̠y peh gya̠tsuh*
lake	un lac	*lak*
mountaineering	alpinism	*alpeenee̠sm*
pedal boat	o barcă cu pedale	*ba̠rkuh koo peda̠leh*
piste	o pistă	*pee̠stuh*
racket	o rachetă	*rake̠tuh*
riding	echitaţie	*ekeeta̠tsyeh*
rowing boat	o barcă cu vîsle	*ba̠rkuh koo ve̠wsleh*
run *(verb)*	alerga	*alerga̠*
sailboard	un surf	*soorf*
sailing	navigaţie	*naveega̠tsyeh*
sand	nisip	*neesee̠p*
sea	mare	*ma̠reh*
skate *(verb)*	patina	*pateena̠*
skates	patine	*pate̠eneh*
ski *(verb)*	schia	*skya̠*
ski boots	bocanci de schi	*boka̠nch deh skee*
skis	schiuri	*skyoor*
sledge	o sanie, un tobogan	*sa̠nyeh, toboga̠n*
snow *(noun)*	zăpadă	*zupa̠duh*
stadium	un stadion	*stady̠on*
sunshade	o umbrelă de soare	*oombreluh deh swa̠reh*
swim *(verb)*	înota	*ewnota̠*
swimming pool	un bazin	*baze̠en*
tennis	tenis	*te̠nees*
tennis court	un teren de tenis	*tere̠n deh te̠nees*
tennis racket	o rachetă de tenis	*rake̠tuh deh te̠nees*
volleyball	volei	*vola̠y*

walking	plimbare	*pleembareh*
water-skiing	schi nautic	*skee nowteek*
wave	un val	*val*
wet suit	un costum nautic	*kostoom nowteek*
winter sports	sporturi de iarnă	*sportoor deh yarnuh*
yacht	un iaht	*yakt*

Where can I hire ...?
De unde pot închiria ...?
deh oondeh pot ewnkeerya

How do I get to the beach?
Cum ajung la plajă?
koom azhoong la plazhuh

How deep is the water here?
Cît de adîncă este apa aici?
kewt deh adewnkuh yesteh apa ıch

Is there an indoor/outdoor pool here?
Există vreun bazin acoperit/descoperit aici?
ekzeestuh vreh-oon bazeen akopereet/deskopereet ıch

Is it dangerous to swim here?
Este periculos să înoţi aici?
yesteh pereekoolos suh ewnots ıch

Can I fish here?
Pot pescui aici?
pot peskwee ıch

I have a licence
Am un permis
am oon permees

I would like to hire a sunshade
Aş vrea să închiriez o umbrelă de soare
ash vrya suh ewnkeeryez o oombreluh deh swareh

How much does it cost per hour/day?
Cît costă pe oră/pe zi?
kewt kostuh peh oruh/peh zee

I would like to take skiing lessons
Aş vrea să iau lecţii de schi
ash vrya suh yow lektsee deh skee

Where can I buy skiing equipment?
De unde pot cumpăra echipament pentru schi?
deh oondeh pot koompura ekeepament pentroo skee

Can you recommend a good place to ski?
Puteţi să-mi recomandaţi un loc bun pentru schiat?
pootets sum rekomandats oon lok boon pentroo skyat

Where is the nursery slope?
Unde este pîrtia pentru începători?
oondeh yesteh pewrtya pentroo ewncheputor

THINGS YOU'LL SEE

bazin acoperit	indoor swimming pool
bazin de înot	swimming pool
bazin descoperit	outdoor swimming pool
băi de nămol	mud baths
bărci de închiriat	boats for hire
biciclete	bicycles
bilete	tickets

→

cabine bărbaţi	men's changing cabins
cabine femei	women's changing cabins
ceaţă	fog
complex sportiv	sports centre
de închiriat	for hire
flux	tide
hidrobiciclete	water bicycles
nămol	mud
nudişti	nudist beach
pericol	danger
pericol de avalanşe	danger of avalanche
pericol de înec	danger of drowning
pescuitul interzis	fishing prohibited
piscină	swimming pool
post de prim ajutor	first aid centre
reflux	ebb tide
scăldatul interzis	bathing prohibited
stadion	stadium
ştrand	outdoor swimming pool

POST OFFICES AND BANKS

The sign for post offices in Romania is **PTTR**. They provide telegram and telephone facilities as well as a postal service and are generally open from 9 am to 8 pm although these hours may vary. If you want to send a parcel abroad – a very expensive operation – you will be directed to a special post office where you will have to complete a customs declaration form. There are sometimes long queues at these post offices. If you have any mail to collect you will be asked to show your passport for identification. Stamps can also be bought in hotels and at tobacconist's. Most post boxes are yellow and some urban ones have a separate box marked **LOCO** for local mail going to the city's postal districts.

Do not exchange a large amount of money at the beginning of your visit as foreign 'hard' currency is highly prized in Romania and you may not be able to change back the local currency. Beware of changing money with street dealers; they invariably cheat you with well-rehearsed ruses. Foreign currency can be changed at airports, banks, in most hotels and at exchange bureaux in the major cities. Tips in hard currency are always welcomed. The Romanian unit of currency is the **leu** (*leh-oo*). Western-style banking services are only now being introduced into Romania and personal cheques cannot be used. Credit cards are only accepted in the major hotels and by foreign operators providing services such as car rental.

USEFUL WORDS AND PHRASES

airmail	poştă aeriană	*poshtuh iryanuh*
bank	o bancă	*bankuh*
banknote	o bancnotă	*banknotuh*
change (*verb*)	schimba	*skeemba*
cheque	un cec	*chek*
counter	un ghişeu	*gheesheh-oo*
credit card	o carte de credit	*karteh deh kredeet*
customs form	un formular vamal	*formoolar vamal*

delivery	o livrare	*leevrareh*
deposit *(noun)*	un acont	*akont*
dollar	un dolar	*dolar*
exchange office	un birou de schimb	*beeroh deh skeemb*
exchange rate	un curs de schimb	*koors deh skeemb*
form	un formular	*formoolar*
letter	o scrisoare	*skreeswareh*
mail *(noun)*	poştă	*poshtuh*
money order	un mandat poştal	*mandat poshtal*
package	un pachet	*paket*
parcel	un colet	*kolet*
postage rates	tarife poştale	*tareefeh poshtaleh*
postal order	un mandat poştal	*mandat poshtal*
post box	o cutie poştală	*kootyeh poshtaluh*
postcard	o carte poştală	*karteh poshtaluh*
postcode	un cod poştal	*kod poshtal*
poste-restante	post-restant	*post restant*
postman	un poştaş	*poshtash*
post office	un oficiu poştal	*ofeechyoo poshtal*
pound sterling	o liră sterlină	*leeruh sterleegnuh*
registered letter	o scrisoare recomandată	*skreeswareh rekomandatuh*
stamp	un timbru	*teembroo*
telegram	o telegramă	*telegramuh*
traveller's cheque	un cec de călătorie	*chek deh kulutoryeh*

How much is a letter/postcard to England?

Cît costă să trimit o scrisoare/o carte poştală în Anglia?

kewt kostuh suh treemeet o skreeswareh/o karteh poshtaluh ewn anglya

I would like a ten lei stamp

Aş vrea un timbru de zece lei

ash vrya oon teembroo deh zecheh lay

POST OFFICES AND BANKS

I want to register this letter
Vreau să trimit o scrisoare recomandată
vrow suh treemeet o skreeswareh rekomandatuh

I want to send this parcel to Scotland
Vreau să trimit acest pachet în Scoţia
vrow suh treemeet achest paket ewn skotsya

Where can I post this?
De unde pot trimite asta?
deh oondeh pot treemeeteh asta

Is there any mail for me?
A sosit ceva prin poştă pentru mine?
a soseet cheva preen poshtuh pentroo meeneh

I'd like to send a telegram
Aş vrea să trimit o telegramă
ash vrya suh treemeet o telegramuh

This is to go airmail
Trebuie trimis par avion
treboo-yeh treemees par avyon

I'd like to change this into lei
Aş vrea să schimb asta în lei
ash vrya suh skeemb asta ewn lay

Can I cash these traveller's cheques?
Pot schimba aceste cecuri de călătorie?
pot skeemba achesteh chekoor deh kulutoryeh

What is the exchange rate for the pound?
Care este cursul de schimb pentru lira sterlină?
kareh yesteh koorsool deh skeemb pentroo leera sterleenuh

Can I pay by credit card?
Pot plăti cu o carte de credit?
pot plutee koo o karteh deh kredeet

THINGS YOU'LL SEE

acont	deposit, down payment
adresă	address
birou de schimb	bureau de change
carte poştală	postcard
casă	cash desk
casier	cashier
cod poştal	postal code
colete	parcels
corespondenţă	letters
cutie poştală	post box
deschis	open
destinator	addressee
dolar	dollar
expeditor	sender
ghişeu	counter
greutate maximă	maximum weight
închis	closed
LOCO	local mail
liră sterlină	pound
mandat poştal	money order
poştă	post, post office
program de lucru	opening hours
PTTR	post office
scrisori	letters
tarif	scale of charges
telegrame	telegrams
timbre	stamps
valută	foreign currency

TELEPHONES

The telephone system in Romania is currently being upgraded and to match these improvements swingeing increases in the charges have been introduced. Many payphones have yet to be adapted to take the new denominations of coins introduced in 1991. You may be lucky and find an old payphone that will still work with a 1 leu coin, others take 10 lei coins, but the best thing to do is to go to a post office and use the telephone there as you will be able to get the coins you need on the spot. You can also phone from your hotel. International calls can either be made at large post offices or from your hotel through an operator. Direct dialling to the UK is not yet available to the general public although there are plans to introduce it. The tones you hear on Romanian phones are as follows: dialling tone – same as in the UK; ringing tone - repeated long tone; engaged tone – rapid pips.

Here are some useful telephone services:

930 Directory enquiries - businesses
931 Directory enquiries - residential A to M
932 Directory enquiries - residential N to Z
971 International operator
957 International telegrams
953 Taxis

USEFUL WORDS AND PHRASES

call	o convorbire telefonică	konvorbeereh telefoneekuh
call (verb)	telefona	telefona
code	un prefix	prefeeks
crossed line	o atingere	ateenjereh
dial (verb)	face un număr	facheh oon noomur
dialling tone	un ton	ton
engaged	ocupat	okoopat

enquiries	informații	*eenformatsee*
extension	interior	*eenteryor*
international call	o convorbire internațională	*konvorbeereh eenternatsyonaluh*
number	un număr	*noomur*
operator	o centralistă	*chentraleestuh*
pay-phone	un telefon public	*telefon poobleek*
receiver	un receptor	*recheptor*
reverse charge call	o convorbire cu taxă inversă	*konvorbeereh koo taxuh eenversuh*
telephone	un telefon	*telefon*
telephone box	o cabină telefonică	*kabeenuh telefoneekuh*
telephone directory	o carte de telefon	*karteh deh telefon*
wrong number	o greșeală	*greshyaluh*

Where is the nearest phone box?
Unde este cabina telefonică cea mai apropiată?
oondeh yesteh kabeena telefoneekuh chya mı apropyatuh

Is there a telephone directory?
Există o carte de telefon?
ekseestuh o karteh deh telefon

Can I call abroad from here?
Pot telefona în străinătate de aici?
pot telefona ewn struh-eenutateh deh ıch

How much is a call to England?
Cît costă o convorbire cu Anglia?
kewt kostuh o konvorbeereh koo anglya

I would like to reverse the charges
Aş vrea să telefonez cu taxă inversă
ash vrya suh telefonez koo taxuh eenversuh

I would like a number in Arad
Aş vrea numărul unui abonat din Arad
ash vrya noomurool oonwee abonat deen arad

Hello, this is Anne speaking
Alo, Anne la telefon
alo 'Anne' la telefon

Who's calling?
Cine întreabă?
cheeneh ewntryabuh

Speaking
La telefon
la telefon

I would like to speak to Nicu
Aş putea vorbi cu Nicu
ash pootya vorbee koo neekoo

Extension 213 please
Vă rog, interiorul doi, unu, trei
vuh rog eenteryorul doy oonoo tray

Please tell him/her David called
Vă rog să-i transmiteţi că a telefonat David
vuh rog suh-ee transmeetets kuh a telefonat 'David'

Ask him/her to call me back please
Spuneţi-i, vă rog, să mă sune
spoonetsee vuh rog suh muh sooneh

My number is 51 13 30
Numărul meu este cinci unu, unu trei, trei zero
noomurool meh-oo yesteh cheench oonoo oonoo tray tray zero

Do you know where he/she is?
Ştiţi cumva unde este?
shteets koomva oondeh yesteh

When will he/she be back?
Cînd se întoarce?
kewnd seh ewntwarcheh

Do you want to leave him/her a message?
Vreţi să-i transmit ceva?
vrets suh-ee transmeet cheva

I'll ring back later
O să telefonez din nou mai tîrziu
o suh telefonez deen noh mi tewrzyoo

Sorry, wrong number
Greşeală
greshyaluh

The phone is out of order
Telefonul este deranjat
telefonool yesteh deranzhat

THINGS YOU'LL SEE

cabină telefonică	telephone box
carte de telefon	telephone directory

→

convorbire telefonică internațională	international call
convorbire telefonică interurbană	long-distance call
convorbire telefonică locală	local call
deranjamente	faults service
deranjat	out of order
informații	directory enquiries
interior	extension
prin centrală	through the operator
tarif	charges
taxă inversă	reverse charges

REPLIES YOU MAY BE GIVEN

La telefon
Speaking

Cu cine doriți să vorbiți?
Who would you like to speak to?

Cine întreabă?
Who's calling?

Așteptați un moment
Just a moment

Este plecat/plecată, îmi pare rău
Sorry, he/she's not in

Se întoarce la ...
He/she will be back at ...

Greşeală
You've got the wrong number

Sună ocupat
The line's busy

Ce număr aveţi?
What is your number?

Reveniţi mîine, vă rog
Please call again tomorrow

Îi transmit că aţi telefonat
I'll tell him/her you called

Încercaţi mai tîrziu
Try later

Vorbiţi!
You're through!

EMERGENCIES

Information on local health services can be obtained from tourist information offices but in an emergency, dial 961 for an ambulance. Dial 955 for the police and 981 for the fire brigade. In the event of your car breaking down, you can phone the **Automobil Club Român** which members of the UK AA and RAC can use. If you lose your passport, you should notify the British Embassy or Consulate as well as the police.

USEFUL WORDS AND PHRASES

accident	un accident	*akchid<u>e</u>nt*
ambulance	o salvare	*salv<u>a</u>reh*
assault *(verb)*	ataca	*atak<u>a</u>*
breakdown	o pană	*p<u>a</u>nuh*
break down	rămîne în pană	*rum<u>ew</u>neh ewn p<u>a</u>neh*
breakdown recovery	depanaj	*depan<u>a</u>zh*
burglary	o spargere	*sp<u>a</u>rjereh*
casualty department	urgenţă	*oorj<u>e</u>ntsuh*
crash *(noun)*	un accident	*akchid<u>e</u>nt*
crash into	tampona	*tampon<u>a</u>*
credit card	o carte de credit	*k<u>a</u>rteh deh kr<u>e</u>deet*
emergency	un caz de urgenţă	*kaz deh oorj<u>e</u>ntsuh*
fire	un incendiu	*eench<u>e</u>ndyoo*
fire brigade	pompieri	*pomp<u>ye</u>r*
flood *(noun)*	inundaţii	*inoond<u>a</u>tsee*
lose	pierde	*p<u>ye</u>rdeh*
passport	un paşaport	*pashap<u>o</u>rt*
pickpocket	un hoţ de buzunare	*hots deh boozoon<u>a</u>reh*
police	poliţie	*pol<u>ee</u>tsyeh*
police station	o circă de poliţie	*k<u>ee</u>rkuh deh pol<u>ee</u>tsyeh*
rob	jefui	*zhef<u>wee</u>*

steal	fura	*foora*
theft	un furt	*foort*
thief	un hoț	*hots*
tow (*verb*)	remorca	*remorka*
traveller's cheque	un cec de călătorie	*chek deh kulutoryeh*

Help!
Ajutor!
azhootor

Look out!
Ai grijă!
ı greezhuh

This is an emergency!
Este un caz de urgență!
yesteh oon kaz deh oorjentsuh

Get an ambulance!
Cheamă o salvare!
kyamuh o salvareh

Please send an ambulance to ...
Vă rog să trimiteți o salvare la ...
vuh rog suh trimeetets o salvareh la

Please come to ...
Vă rog să veniți la ...
vuh rog suh veneets la

My address is ...
Adresa mea este ...
adresa mya yesteh

We've had a break-in
Au intrat hoţii în casă
ow eentrat hotsee ewn kasuh

My car's been broken into
Au intrat hoţii în maşină
ow intrat hotsee ewn masheenuh

There's a fire at ...
Este un incendiu la ...
yesteh oon inchendyoo la

Someone's been injured
Cineva a fost rănit
cheeneva a fost runeet

My passport/car has been stolen
Mi s-a furat paşaportul/maşina
mee sa foorat pashaportool/masheena

The registration number is ...
Numărul de înmatriculare ...
noomurool deh ewnmatrikoolareh

I've lost my traveller's cheques
Am pierdut cecurile de călătorie
am pyerdoot chekoorileh deh kulutoryeh

I want to report a stolen credit card
Mi s-a furat cartea de credit
mee sa foorat kartya deh kredit

It was stolen from my room
Mi s-a furat din cameră
mee sa foorat deen kameruh

I lost it in/at ...
Am pierdut-o la/în ...
am pyerdooto la/ewn

My luggage has gone missing
Mi s-au pierdut bagajele
mee sow pyerdoot bagazheleh

Has my luggage turned up yet?
Au fost găsite bagajele mele?
ow fost guseeteh bagazheleh meleh

I've been mugged
Am fost atacat şi jefuit
am fost atakat shee zhefweet

My son's missing
Băiatul meu a dispărut
buh-yatool meh-oo a dispuroot

I've locked myself out
M-am încuiat afară
mam ewnkwyat afaruh

He's drowning
El se îneacă
yel seh ewnyakuh

She can't swim
Ea nu ştie să înoate
ya noo shtee-yeh suh ewnwateh

THINGS YOU'LL SEE

poliţie	police
pompieri	fire brigade
prim ajutor	first aid
salvamar	lifeguard
salvare	ambulance
spital	hospital
telefon	telephone
urgenţă	casualty department; emergencies

THINGS YOU'LL HEAR

Ce adresă aveţi?
What's your address?

Unde sînteţi?
Where are you?

Îl puteţi descrie
Can you describe it/him?

HEALTH

The visitor to Romania is advised to take a supply of aspirins, cotton wool, and any medication which he or she is using. Do not expect to be able to buy medicines at any pharmacy **farmacie** *(farmachyeh)* – you may have to try several, and even then you might be unsuccessful. Pharmacies, depending on the availability of drugs, will also dispense prescriptions.

Under the terms of an agreement with Romania, UK citizens can be treated free of charge at Romanian clinics and hospitals. However, the poor state of the Romanian health service, which was deprived of investment during the Ceausescu era, has left the country dependent on foreign aid in order to bring health treatment and services to the level of those in other East European countries. An acute shortage of medicines means that foreign citizens will be expected to pay for any drugs they are given at a clinic or in hospital. If you do fall ill your hotel will call a doctor. If you are travelling privately and need treatment ask a Romanian to direct you to a **policlinică** *(poleekleeneekuh)*.

For minor complaints you can get advice at a pharmacy. It is customary in Romania to show your appreciation for any treatment you receive from medical staff by offering them a gift. Foreign currency is particularly appreciated.

USEFUL WORDS AND PHRASES

accident	un accident	*akcheedent*
ambulance	o salvare	*salvareh*
anaemic	anemic	*anemeek*
appendicitis	apendicită	*apendeecheetuh*
appendix	un apendice	*apendeecheh*
aspirin	o aspirină	*aspeeregnuh*
asthma	astmă	*astmuh*
backache	o durere de spate	*doorgreh deh spateh*
bandage	un pansament	*pansament*

bite *(by dog)*	o muşcătură	*mooshkut__oo__ruh*
(by insect)	o înţepătură	*ewntseput__oo__ruh*
bladder	vezică urinară	*vez__ee__kuh ooreen__a__ruh*
blister	o băşicuţă	*busheek__oo__tsuh*
blood	sînge	*s__ew__njeh*
blood donor	un donator de sînge	*donat__o__r deh s__ew__njeh*
burn *(noun)*	o arsură	*ars__oo__ruh*
cancer	un cancer	*k__a__ncher*
chemist shop	o farmacie	*farmach__yeh__*
chest	piept	*pyept*
chickenpox	vărsat de vînt	*vursat deh vewnt*
cold *(noun)*	o răceală	*ruch__ya__ler*
concussion	comoţie cerebrală	*kom__o__tsyeh cherebr__a__luh*
constipation	constipaţie	*konsteep__a__tsyeh*
contact lenses	lentile de contact	*lent__ee__leh deh kont__a__kt*
corn	o bătătură	*butut__oo__ruh*
cough *(noun)*	o tuse	*t__oo__seh*
cut *(noun)*	o tăietură	*tuh-yet__oo__ruh*
dentist	un dentist	*dent__ee__st*
diabetes	diabet	*dy__a__bet*
diarrhoea	diaree	*dyar__ay__-eh*
dizzy	ameţit	*amets__ee__t*
doctor	un doctor	*d__o__ktor*
earache	o durere de urechi	*d__oo__greh deh oor__e__k*
fever	febră	*f__e__bruh*
filling	o plombă	*pl__o__mbuh*
first aid	post de prim ajutor	*post deh preem azho__o__t__o__r*
flu	gripă	*gr__ee__puh*
fracture	o fractură	*frakt__oo__ruh*
German measles	rubeolă	*roobeh-__o__luh*
glasses	ochelari	*okel__a__r*
haemorrhage	o hemoragie	*hemoraj__eh__*
hayfever	boala fînului	*bw__a__la f__ew__noolwee*
headache	o durere de cap	*d__oo__greh deh kap*

96

heart	o inimă	*eeneemuh*
heart attack	un atac de inimă	*atak deh eeneemuh*
hospital	un spital	*speetal*
ill	bolnav	*bolnav*
indigestion	indigestie	*eendeejestyeh*
injection	o injecție	*eenzhektsyeh*
itch	o mîncărime	*mewnkureemeh*
kidney	un rinichi	*reeneek*
lung	un plămîn	*plumewn*
measles	pojar	*pozhar*
migraine	o migrenă	*meegrenuh*
mumps	oreion	*oray-on*
nausea	greață	*gryatsuh*
nurse	o asistentă medicală	*aseestentuh medeekaluh*
operation	o operație	*operatsyeh*
optician	un optician	*opteechyan*
pain	o durere	*doorereh*
penicillin	penicilină	*peneecheeleenuh*
plaster *(sticky)*	un leucoplast	*leh-ookoplast*
plaster of Paris	ghips	*geeps*
pneumonia	pneumonie	*neh-oomonyeh*
pregnant	însărcinată	*ewnsurcheenatuh*
prescription	o rețetă	*retsetuh*
rheumatism	reumatism	*reh-oomateesm*
scald *(noun)*	o opăreală	*opuryaluh*
scratch *(noun)*	o zgîrietură	*zgewryetooruh*
smallpox	variolă	*varyoluh*
sore throat	o durere în gît	*doorereh ewn gewt*
splinter	o țeapă	*tsyapuh*
sprain *(noun)*	o luxație	*looksatsyeh*
sting *(noun)*	o înțepătură	*ewntseputooruh*
stomach	un stomac	*stomak*
temperature	temperatură	*temperatooruh*
tonsils	amigdale	*ameegdaleh*
toothache	o durere de dinți	*doorereh deh deents*

travel sickness	rău de drum	*row deh droom*
ulcer	un ulcer	*oolcher*
vaccination	un vaccin	*vakcheen*
vomit *(verb)*	vomita	*vomeeta*
whooping cough	tuse convulsivă	*tooseh konvoolseevuh*

I have a pain in ...
Mă doare ...
muh dwareh

I don't feel well
Nu mă simt bine
noo muh seemt beeneh

I feel faint
Simt că leşin
seemt kuh lesheen

I feel sick
Mi-e greaţă
myeh gryatsuh

I feel dizzy
Am ameţeli
am ametsel

It hurts here
Mă doare aici
muh dwareh ıch

It's a sharp pain
Este o durere acută
yesteh o doorereh akootuh

It hurts all the time
Mă doare tot timpul
muh dwareh tot teempool

It only hurts now and then
Nu mă doare tot timpul
noo muh dwareh tot teempool

It hurts when you touch it
Doare la atingere
dwareh la ateenjereh

It hurts more at night
Noaptea mă doare mai tare
nwaptya muh dwareh mı tareh

It stings
Înțeapă
ewntsyapuh

It aches
Doare
dwareh

I have a temperature
Am temperatură
am temperatooruh

I need a prescription for ...
Am nevoie de rețetă pentru ...
am nevoy-eh deh retsetuh pentroo

I normally take ...
Iau de obicei ...
yow deh obeechee

I'm allergic to ...
Sînt alergic la ...
sewnt alerjeek la

Have you got anything for ...?
Aveți ceva pentru ...?
avets cheva pentroo

Do I need a prescription for ...?
Este nevoie de rețetă pentru ...?
yesteh nevoy-eh deh retsetuh pentroo

I have lost a filling
Mi-a căzut o plombă
mya kuzoot o plombuh

THINGS YOU'LL HEAR

Luați ... tablete odată
Take ... tablets at a time

Luați cu apă
With water

Să le mestecați
Chew them

Odată/de două ori/de trei ori pe zi
Once/twice/three times a day

Înainte de culcare
At bedtime

→

Ce luați de obicei?
What do you normally take?

Cred că trebuie să mergeți la doctor
I think you should see a doctor

Îmi pare rău, nu avem asta
I'm sorry, we don't have that

Vă trebuie o rețetă
For that you need a prescription

THINGS YOU'LL SEE

analize	tests
chirurgie	surgery
clinică	clinic
farmacie	chemist
ginecologie	gynaecology
ochelari	spectacles
ORL	ear, nose and throat clinic
rețetă	prescription
salvare	ambulance
spital	hospital
spital de urgență	hospital for emergency cases
stomatolog	dentist
tensiune	blood pressure

CONVERSION TABLES

DISTANCES

Distances are marked in kilometres. To convert kilometres to miles, divide the km. by 8 and multiply by 5 (one km. being five-eighths of a mile). Convert miles to km. by dividing the miles by 5 and multiplying by 8. A mile is 1609m. (1.609km).

km.	miles or km.	miles
1.61	1	0.62
3.22	2	1.24
4.83	3	1.86
6.44	4	2.48
8.05	5	3.11
9.66	6	3.73
11.27	7	4.35
12.88	8	4.97
14.49	9	5.59
16.10	10	6.21

Other units of length:

1 centimetre = 0.39 in.
1 metre = 39.37 in.
10 metres = 32.81 ft.

1 inch = 25.4 millimetres
1 foot = 0.30 metre (30 cm.)
1 yard = 0.91 metre

WEIGHTS

The unit you will come into most contact with is the kilogram (kilo), equivalent to 2 lb 3 oz. To convert kg. to lbs., multiply by 2 and add one-tenth of the result (thus, 6 kg x 2 = 12 + 1.2, or 13.2 lbs). One ounce is about 28 grams, and 1 lb is 454 g.

grams	ounces	ounces	grams
50	1.76	1	28.3
100	3.53	2	56.7
250	8.81	4	113.4
500	17.63	8	226.8

kg.	lbs or kg.	lbs.
0.45	1	2.20
0.91	2	4.41
1.36	3	6.61
1.81	4	8.82
2.27	5	11.02
2.72	6	13.23
3.17	7	15.43
3.63	8	17.64
4.08	9	19.84
4.53	10	22.04

TEMPERATURE

To convert centigrade or Celcius degrees into Fahrenheit, the accurate method is to multiply the °C figure by 1.8 and add 32. Similarly, to convert °F to °C, subtract 32 from the °F figure and divide by 1.8. This will give you a truly accurate conversion, but takes a little time in mental arithmetic! See the table below.

°C	°F	°C	°F	
-10	14	25	77	
0	32	30	86	
5	41	36.9	98.4	body temperature
10	50	40	104	
20	68	100	212	boiling point

LIQUIDS

Motorists from the UK will be used to seeing petrol priced per litre (and may even know that one litre is about 1¾ pints). One 'imperial' gallon is roughly 4½ litres, but USA drivers must remember that the American gallon is only 3.8 litres (1 litre = 1.06 US quart). In the following table, imperial gallons are used:

litres	gals. or l.	gals.
4.54	1	0.22
9.10	2	0.44
13.64	3	0.66
18.18	4	0.88
22.73	5	1.10
27.27	6	1.32
31.82	7	1.54
36.37	8	1.76
40.91	9	1.98
45.46	10	2.20
90.92	20	4.40
136.38	30	6.60
181.84	40	8.80
227.30	50	11.00

TYRE PRESSURES

lb/sq.in.	15	18	20	22	24
kg/sq.cm.	1.1	1.3	1.4	1.5	1.7

lb/sq.in.	26	28	30	33	35
kg/sq.cm.	1.8	2.0	2.1	2.3	2.5

MINI-DICTIONARY

Note that the Romanian noun forms given in this dictionary are indefinite, eg **accident** un accident (= an accident), **address** o adresă (= an address) etc. See also page 7.

about: about 16 aproximativ şaisprezece
accident un accident
accommodation cazare
ache o durere
adaptor *(electrical)* un racord
address o adresă
adhesive lipici
after după
aftershave după ras
again din nou
against contra
Aids SIDA
air-conditioning aer condiţionat
aircraft un avion
air hostess o însoţitoare de bord
airline o linie aeriană
airport un aeroport
alarm clock un deşteptător
alcohol alcool
all toţi, toate
  all the people toţi oamenii
  all the streets toate străzile
  that's all, thanks asta e tot, mulţumesc
almost aproape
alone singur
Alps Alpii
already deja
always întotdeauna
am: I am (eu) sînt
ambulance o salvare
America Statele Unite
American *(man)* un american
  (woman) o americană

(adj) american
and şi
ankle o gleznă
anorak un hanorac
another *(different)* alt, altă
  (one more) încă
anti-freeze anti-gel
antique shop o consignaţie
antiseptic antiseptic
apartment un apartament
aperitif un aperitiv
appetite o poftă
apple un măr
application form o cerere
appointment o oră
apricot o caisă
are: you are *(singular, familiar)* eşti
  (plural/singular, polite) sînteţi
  we are sîntem
  they are (ei) sînt
arm un braţ
arrival o sosire
art artă
art gallery o galerie de artă
artist un artist
as: as soon as possible cît mai repede
ashtray o scrumieră
asleep: he's asleep el doarme
aspirin o aspirină
at: at the post office la poştă
  at night noaptea
  at 3 o'clock la ora trei
attractive atrăgător
aunt o mătuşă

Australia Australia
Australian *(man)* un australian
   (woman) o australiană
   (adj) australian
automatic automat
away: is it far away? e departe?
   go away! şterge-o!
awful groaznic
axe un topor
axle o osie

baby un bebe
back *(not front)* dos
   (body) spate
   I'll come back tomorrow mă
   voi întoarce mîine
bacon şuncă
   bacon and eggs ouă cu şuncă
bad rău
bait momeală
bake pune la cuptor
baker's o brutărie
balcony un balcon
ball o minge
ballpoint pen un pix cu pastă
banana o banană
band *(brass etc)* o muzică
   (rock group etc) o formaţie
bandage un bandaj
bank o bancă
banknote o bancnotă
bar *(drinks)* un bar
   bar of chocolate un baton de
   ciocolată
barbecue un grătar
barber's o frizerie
bargain un chilipir
basement un subsol
basin *(sink)* o chiuvetă
basket un coş
bath o baie
   to have a bath face o baie

bathing hat o cască de baie
bathroom o baie
battery *(radio)* o baterie
   (car) un acumulator
bazaar un bazar
beach o plajă
beans fasole
bear un urs
beard o barbă
because pentru că
bed un pat
bed linen lenjerie de pat
bedroom un dormitor
beef carne de vacă
beer o bere
before înainte
beginner un începător
behind: behind the station în
   spatele gării
beige bej
bell *(church)* un clopot
   (door) o sonerie
below ... sub ...
belt o centură
beside alături
best *(adj)* cel mai bun
   (adverb) cel mai bine
   the best restaurant cel mai bun
   restaurant
   I like this one best îmi place cel
   mai bine
better mai bine
between ... între ...
bicycle o bicicletă
big mare
bikini un bikini
bill o notă
bin liner o pungă de gunoi
bird o pasăre
birthday o aniversare a unei zile
   de naştere
   happy birthday! la mulţi ani!

biscuit un biscuit
bite *(noun: by dog, snake)* o
muşcătură
(by insect) o pişcătură
(verb: dog) muşca
bitter acru
black negru
blackberry o mură
black market bursa neagră
Black Sea Marea Neagră
blanket un pled
bleach *(noun)* clorură de var
(verb: hair) oxigena
blind *(cannot see)* orb
(window) o jaluzea
blister o băşicuţă
blizzard un viscol
blond *(adj)* blond
blood sînge
blouse o bluză
blue albastru
boarding card un tichet de
îmbarcare
boat un vas
(small) o barcă
body corp
boil *(verb)* fierbe
bolt *(noun: on door)* un zăvor
(verb) zăvorî
bone os
bonnet *(car)* o capotă
book *(noun)* o carte
(verb) rezerva
booking office casă de bilete
bookshop o librărie
boot *(car)* un portbagaj
(footwear) o cizmă
border o frontieră, o graniţă
boring plictisitor
born: I was born in ... m-am
născut în ...
both amîndoi

both of them/us ei/noi amîndoi
both ... and ... şi ... şi
bottle o sticlă
bottle-opener un deschizător
bottom un fund
bowl un vas
box o cutie
boy un băiat
boyfriend un prieten
bra un sutien
bracelet o brăţară
braces bretele
brake *(noun)* o frînă
(verb) frîna
brandy coniac
bread pîine
breakdown *(car)* o pană
(nervous) o depresiune nervoasă
I've had a breakdown *(car)* am
rămas în pană
breakfast micul dejun
breathe respira
I can't breathe nu pot respira
bridge un pod
briefcase o servietă
British britanic
brochure un pliant
broken spart
broken leg un picior rupt
brooch o broşă
brother un frate
brown maro
bruise o vînătaie
brush *(noun)* o perie
(paint) o bidinea
(verb) mătura
bucket o găleată
building o clădire
Bulgaria Bulgaria
Bulgarian *(man)* un bulgar
(woman) o bulgăroaică
(adj) bulgăresc

bumper o bară de protecţie
burglar un spărgător
burn (noun) o arsură
  (verb) arde
bus un autobuz
business afacere
  it's none of your business
  vedeţi-vă de treabă
bus station o autogară
busy (occupied) ocupat
  (street) aglomerat
but dar
butcher's o măcelărie
butter unt
button un nasture
buy cumpăra
by: by the window lîngă geam
  by Friday pînă vineri
  by myself singur

cabbage o varză
cabin o cabină
cable car o cabină de teleferic
café o cofetărie, o cafenea
cake o prăjitură
  layer cake un tort
calculator un calculator
call: what's it called? cum se
  numeşte?
camcorder un camcorder, o
  cameră video
camera un aparat de
  fotografiat
campsite un camping
can (tin) o conservă
can: can I have ...? îmi daţi ..., vă
  rog?
Canada Canada
Canadian (man) un canadian
  (woman) o canadiană
  (adj) canadian
cancer cancer

candle o lumînare
canoe o canoe
canoing canotaj
cap (hat) o şapcă
  (bottle) un capac
car o maşină
caravan o rulotă
carburettor un carburator
card o felicitare
cardigan o jachetă
careful grijuliu
  be careful! să ai grijă!
caretaker un îngrijitor
Carpathians Munţii Carpaţi
carpet un covor
carriage (train) un vagon
carrot un morcov
case (suitcase) o valiză, un
  geamantan
cash (coins) bani gheaţă
  to pay cash plăti cu bani gheaţă
cassette o casetă
cassette player un casetofon
castle un castel
cat o pisică
cathedral o catedrală
cauliflower o conopidă
cave o peşteră
cemetery un cimitir
centre un centru
certificate un certificat
chair un scaun
chairlift un telescaun
change (noun: money) bani mărunţi
  (verb: clothes) schimba
cheap ieftin
check-in (noun) înregistrare
check-in desk ghişeul de
  înregistrare
cheers! noroc!
cheese brînză
chemist's o farmacie

cheque un cec
cheque book un carnet de cecuri
cherry o cireaşă
chess şah
chest piept
  chest of drawers o comodă
chewing gum gumă de mestecat
chicken pui
child un copil
children copii
china porţelan
chips cartofi prăjiţi
chocolate ciocolată
  box of chocolates o cutie de
  bomboane de ciocolată
chop *(food)* un cotlet
  (to cut) despica
Christian name numele de botez
church o biserică
cigar o havană
cigarette o ţigară
cinema un cinema
citadel o cetate
city un oraş
city centre un centru
class o clasă
classical music muzică clasică
clean *(adj)* curat
clear *(obvious)* clar
  (water) limpede
  is that clear? e clar?
clever deştept
clock ceas
close *(near)* aproape
  (stuffy) e zăpuşeală
  (verb) închide
  the shop is closed magazinul e
  închis
clothes haine
club un club
  (cards) treflă
clutch ambreiaj

coach un autocar
  (of train) un vagon
coach station o autogară
coat un pardesiu
coathanger un umeraş
cockroach gîndac de bucătărie
coffee cafea
coin o monedă
cold *(illness)* o răceală
  (adj) rece
collar un guler
collection *(stamps etc)* o colecţie
colour o culoare
colour film un film color
comb *(noun)* un pieptene
  (verb) pieptăna
come: I come from ... sînt din ...
  we came last week am sosit
  săptămîna trecută
  come here! vino încoace!
Communist *(adj)* comunist
compact disc un compact disc
compartment un compartiment
complicated complicat
computer un computer
concert un concert
conditioner *(hair)* balsam
condom un prezervativ
conductor *(bus)* un taxator
  (orchestra) un dirijor
congratulations! felicitări!
constipation constipaţie
consulate consulat
contact lenses lentile de contact
contraceptive *(condom)* un
  prezervativ
  (pills) pilule anticoncepţionale
cook *(noun: man)* un bucătar
  (woman) o bucătăreasă
  (verb) găti
cooker o maşină de gătit
cool răcoros

cork un dop
corkscrew un tirbuşon
corner un colţ
corridor un culoar
cosmetics cosmetică
cost *(verb)* cost
  how much does it cost? cît
  costă?
cotton bumbac
cotton wool vată
cough *(noun)* o tuse
  (verb) tuşi
country *(state)* o ţară
  (not town) ţară
cousin *(male)* un văr
  (female) o verişoară
crab o langustă
cramp un cîrcel
cream *(soured)* smîntînă
  whipped cream frişcă
credit card o carte de credit
crew echipaj
Crimea Crimeea
crisps cartofi cipşi
crowded aglomerat
cruise o croazieră
crutches cîrje
cry *(verb: weep)* plînge
  (shout) ţipa
cucumber un castravete
cufflinks butoni
cup o ceaşcă
cupboard un dulap
curlers bigudiuri
curls bucle
curtain o perdea
Customs vamă
cut *(noun)* o tăietură
  (verb) tăia

dad tată
dairy products lactate

damp umed
dance *(noun)* un dans
  (verb) dansa
dangerous periculos
Danube Dunărea
  the Danube Delta Delta Dunării
dark întunecat
daughter o fiică
day o zi
dead mort
deaf surd
dear *(person)* drag
  (expensive) scump
deckchair un şezlong
deep adînc
deer o căprioară
delay o întîrziere
deliberately intenţionat
dentist un dentist
dentures dantură
deny nega
deodorant un deodorant
department store un magazin
  universal
departure o plecare
departure lounge o sală de plecare
develop *(film)* developa
diamond *(jewel)* un diamant
  (cards) caro
diarrhoea diaree
diary o agendă
dictionary un dicţionar
die muri
diesel diesel
different diferit
  that's different asta e altceva
  I'd like a different one vreau
  altul
difficult greu
dining room o sufragerie
directory *(telephone)* o carte de
  telefon

dirty murdar
disabled handicapat
dive *(verb)* plonja
diving board o trambulină
divorced divorţat
do face
doctor un doctor
document un document
dog un cîine
doll o păpuşă
dollar un dolar
door o uşă
double room o cameră cu două
    paturi
doughnut o gogoaşă
down jos
drawing pin o piuneză
dress o rochie
drink *(noun)* o băutură
    (verb) bea
    would you like a drink? vreţi
    să beţi ceva?
drinking water apă potabilă
drive *(verb)* conduce
driver un şofer
driving licence un carnet de
    conducere
drunk beat
dry uscat
dry cleaner's o spălătorie
    chimică
dummy *(for baby)* o suzetă
during în timpul
dustbin o ladă de gunoi
duster o cîrpă de praf
duty-free fără vamă
duvet o plapumă

each *(every)* fiecare
    twenty lei each douăzeci de lei
    la fiecare
ear o ureche

ears urechi
early devreme
earrings cercei
east est
easy uşor
eat mînca
egg un ou
either: either of them sau unul sau
    altul
    either ... or ... sau ... sau ...
elastic elastic
elastic band un elastic
elbow un cot
electric electric
electricity electricitate
else: something else altceva
    someone else altcineva
    somewhere else altundeva
embarrassing jenant
embassy o ambasadă
embroidery broderie
emerald un smarald
emergency urgenţă
emergency brake semnal de
    alarmă
emergency exit ieşire în caz de
    pericol
empty gol
end sfîrşit
engaged *(couple)* logodiţi
    (occupied) ocupat
engine *(motor)* motor
England Anglia
English *(adj)* englez
    (language) engleza
Englishman un englez
Englishwoman o englezoaică
enlargement o lărgire
enough destul
entertainment distracţii
entrance o intrare
envelope un plic

111

escalator o scară rulantă
especially mai ales
evening seară
every fiecare
everyone toată lumea
everything tot
everywhere peste tot
example un exemplu
  for example de exemplu
excellent excellent
excess baggage bagaj excedentar
exchange *(verb)* schimba
exchange rate rată de schimb
excursion o excursie
excuse me! *(to get past)* îmi dați
  voie?
  (to attract attention) fiți amabil!
exit o ieșire
expensive scump
extension lead un fir prelungitor
eye un ochi
  eyes ochi
eye drops picături de ochi

face o față
faint *(unclear)* slab
  (verb) leșina
  to feel faint îmi vine să leșin
fair *(funfair)* un parc de distracții
  (just) drept
  it's not fair nu e drept
false teeth o proteză dentară
family o familie
fan *(ventilator)* un ventilator
  (enthusiast) un suporter
fan belt o curea de ventilator
fantastic fantastic
far departe
  how far is ...? cît e pînă la ...?
fare un bilet
farm o fermă
farmer un fermier

fashion modă
fast repede
fat *(person)* gras
  (on meat etc) grăsime
father un tată
fax *(noun)* un fax
  (verb: document) trimite prin fax
feel *(touch)* simți
  I feel hot mi-e cald
  I feel like ... am chef să ...
  I don't feel well nu mă simt bine
feet picioare
felt-tip pen o carioca
ferry un feribot
festival un festival
fever febră
fiancé un logodnic
fiancée o logodnică
field un cîmp
fig o smochină
filling *(in tooth)* o plombă
  (in cake, sandwich) o umplutură
film un film
filter un filtru
finger un deget
fire un foc
  (blaze) un incendiu
fire extinguisher un stingător
fireworks artificii
first primul, prima
  the first train primul tren
  the first stop prima stație
first aid prim ajutor
first floor etajul întîi
fish un pește
fishing pescuit
  to go fishing pleca la pescuit
fishing rod o undiță
fishmonger's o pescărie
fizzy gazos
flag un steag
flash *(camera)* un blitz

flat *(apartment)* un apartament
  (level) plat
flavour gust
flea un purice
flight un zbor
flour făină
flower o floare
flu gripă
fly *(insect)* o muscă
  (verb) zbura
fog ceață
folk dancing dansuri populare
folk music muzică populară
food alimente, mîncare
food poisoning o intoxicație
  alimentară
foot un picior
football fotbal
  (ball) o minge
for: for me pentru mine
  what for? de ce?
  for a week pentru o săptămînă
foreigner străin
forest o pădure
fork o furculiță
fortnight două săptămîni
fountain pen un stilou
fourth a patra
fracture o fractură
France Franța
free *(vacant)* liber
  (no cost) gratis
freezer un congelator
French *(language)* franceza
fresco o frescă
fridge un frigider
friend un prieten
friendly prietenos
fringe *(hair)* un breton
front: in front of ... în fața ...
frost ger
fruit fruct

fruit juice suc de fructe
fry prăji
frying pan o tigaie
full plin
  I'm full m-am săturat
funnel *(for pouring)* o pîlnie
funny amuzant
  (odd) ciudat
furniture mobilă

garage *(for repairs)* un garaj
  (for petrol) o benzinărie
garden o grădină
garlic usturoi
gate o poartă
  (at airport) o ieșire
gay *(homosexual)* homosexual
gear o viteză
gear lever maneta schimbătorului
  de viteze
gel *(hair)* gel
gents *(toilet)* bărbați
German *(language)* germana
Germany Germania
get *(fetch)* lua
  have you got ... aveți ...?
  to get the train prinde trenul
get back: we get back tomorrow
  ne întoarcem mîine
  to get something back recăpăta
get in se urca
  (arrive) sosi
get off coborî
get on urca
get out se da jos
get up *(rise)* se scula
gift un cadou
gin gin
girl o fată
girlfriend o prietenă
give da
glad bucuros

glass sticlă
  (to drink) un pahar
glasses ochelari
gloves mănuşi
glue lipici
go merge
goggles ochelari de protecţie
gold aur
golf golf
good bun
  good! bine!
goodbye la revedere
gorge cheile
government un guvern
granddaughter o nepoată
grandfather un bunic
grandmother o bunică
grandparents bunici
grandson un nepot
grapes struguri
grass iarbă
Great Britain Marea Britanie
green verde
grey gri
grill grătar
grocer's o băcănie
ground floor parter
guarantee *(noun)* o garanţie
  (verb) garanta
guard o pază
guide un ghid
guide book un ghid
guitar o ghitară
gun *(rifle)* o puşcă
  (pistol) un pistol
gypsy *(man)* un ţigan
  (woman) o ţigancă

hair păr
haircut un tuns
hairdresser's *(men's)* un frizer
  (women's) un coafor

hair dryer un uscător de păr
hair spray un fixativ
half o jumătate
  half an hour o jumătate de oră
ham şuncă
hamburger un hamburger
hammer un ciocan
hand o mînă
handbag o poşetă
handbrake o frînă de mînă
handkerchief o batistă
handle *(door)* un mîner
handsome frumos
hangover mahmureală
happy fericit
harbour un liman
hard tare
  (difficult) greu
hard currency valută
hardware shop un magazin de
  menaj
hat o pălărie
have: I don't have ... n-am ...
  can I have ...? îmi daţi ...?
  have you got ...? aveţi ...?
  I have to go now trebuie să plec
  acuma
hayfever boala fînului
he el
head un cap
headache o durere de cap
headlights faruri
hear auzi
hearing aid un aparat auditiv
heart o inimă
heart attack un infarct
heater un radiator
heating încălzire
heavy greu
heel un toc
hello bună
  (on phone) alo

help *(noun)* ajutor
  (verb) ajuta
  help! ajutor!
her: it's her ea este
  it's for her este pentru ea
  give it to her dă-i-o ei
  her house casa ei
  her shoes pantofii ei
hers: it's hers este a ei
high înalt
hill un deal
him: it's him el este
  it's for him este pentru el
  give it to him dă-i-o lui
hire închiria
his: his house casa lui
  his shoes pantofii lui
  it's his este a lui
history istorie
hitch-hike face autostopul
hobby un hobi
holiday o vacanţă
home: at home acasă
honest cinstit
honey miere
honeymoon o lună de miere
horn *(car)* un claxon
  (animal) un corn
horrible groaznic
hospital un spital
hour o oră
house o casă
how? cum?
Hungarian *(man)* un ungur
  (woman) o unguroaică
  (adj) unguresc
Hungary Ungaria
hungry: I'm hungry mi-e foame
hurry: I'm in a hurry sînt grăbit
husband un soţ

I eu

ice gheaţă
ice cream îngheţată
ice cube un cub de gheaţă
ice-skating patinaj
  to go ice-skating face patinaj
if dacă
ignition aprindere
ill bolnav
immediately imediat
impossible imposibil
in în
  in English în englezeşte
  in Bucharest în Bucureşti
  in the hotel în hotel
India India
indicator un indicator
indigestion indigestie
infection o infecţie
information informaţii
injection o injecţie
injury o rană
ink cerneală
inn un cîrciumă
inner tube o anvelopă
insect o insectă
insect repellent un spray contra
  ţînţarilor
insomnia insomnie
instant coffee ness ®
insurance asigurare
interesting interesant
interpret un interpret
invitation o invitaţie
Ireland Irlanda
Irish irlandez
Irishman un irlandez
Irishwoman o irlandeză
iron *(noun: metal)* fier
  (for clothes) un fier de călcat
  (verb) călca
is: he/she/it is este
island o insulă

it el
itch (noun) o mîncărime
  it itches mă mănîncă

jacket o haină
jam gem
jazz jazz
jealous gelos
jeans blugi
jellyfish o meduză
jeweller's o bijuterie
job un serviciu
joke o glumă
journey o călătorie
jumper un pulover
just (only) numai
  I've just one left mi-a rămas
  numai una
  it's just arrived abia a sosit

kettle un ceainic
key o cheie
kidney un rinichi
kilo un kilogram
kilometre un kilometru
kitchen o bucătărie
knee un genunchi
knife un cuţit
knit tricota
know: I don't know nu ştiu

label o etichetă
lace dantelă
laces (of shoe) şireturi
ladies (toilet) femei
lake un lac
lamb un miel
  (meat) carne de miel
lamp o lampă
lampshade un abajur
land (noun) pămînt
  (verb) ateriza

language o limbă
large mare
last (final) ultim
  last week săptămîna trecută
  last month luna trecută
  at last! în sfîrşit!
late: it's getting late se face tîrziu
  the bus is late autobuzul întîrzie
later mai tîrziu
laugh (verb) rîde
laundry (place) o spălătorie
  chimică
  (dirty clothes) rufe murdare
laxative un laxativ
lazy leneş
leaf o frunză
leaflet o broşură
learn învăţa
leather piele
left (not right) stînga
  there's nothing left nu a rămas
  nimic
leg un picior
lemon o lămîie
lemonade o limonadă
length lungime
lens lentile
less mai puţin
lesson o lecţie
letter o scrisoare
letterbox o cutie de scrisori
lettuce o salată verde
library o bibliotecă
licence un permis
life o viaţă
lift (in building) un lift
  could you give me a lift? mă
  luaţi şi pe mine?
light (not heavy) uşor
  (not dark) deschis
light bulb un bec
lighter o brichetă

lighter fuel gaz de brichetă
like: I like you îmi eşti simpatic
  I like swimming îmi place să înot
  it's like ... este ca ...
lime *(fruit)* o chitră
lip salve un unguent de buze
lipstick un ruj de buze
liqueur un lichior
list o listă
litre un litru
litter gunoi
little *(small)* mic
  it's a little big este cam mare
  just a little numai un pic
liver un ficat
lobster o langustă
long lung
  how long does it take? cît durează?
lorry un camion
lost property obiecte pierdute
lot: a lot mult
loud tare
lounge un salon
love *(noun)* dragoste
  (verb) iubi
lover *(man)* un iubit
  (woman) o iubită
low jos
luck noroc
  good luck! noroc!
luggage bagaje
luggage rack o plasă de bagaje
lunch un prînz

mad nebun
magazine o revistă
maid o femeie de serviciu
mail poştă
make face
make-up farduri

man un om
manager un director
many: not many nu prea mulţi
map o hartă
  a map of Bucharest o hartă a Bucureştiului
margarine margarină
market o piaţă
marmalade marmeladă
married căsătorit
mascara rimel
mass *(church)* liturghie
mast un catarg
match *(light)* un foc
  (sport) un meci
material *(cloth)* o stofă
matter: it doesn't matter nu are importanţă
mattress o saltea
maybe poate
me: it's me eu sînt
  it's for me este pentru mine
  give it to me dă-mi-l
meal o masă
mean: what does this mean? ce înseamnă asta?
meat carne
mechanic un mecanic
medicine un medicament
medieval medieval
meeting o întîlnire
melon un pepene
menu un meniu
message un mesaj
midday amiază
middle: in the middle în mijloc
midnight miezul nopţii
milk lapte
mine: it's mine este a mea
mineral water apă minerală
minute un minut
mirror o oglindă

Miss domnişoara
mistake o greşeală
  to make a mistake greşi
monastery o mănăstire
money bani
month o lună
monument un monument
moon o lună
more mai mult
morning dimineaţă
  in the morning dimineaţa
mosaic un mozaic
mosquito un ţînţar
mother o mamă
motorbike o motocicletă
motorboat o barcă cu motor
motorway o autostradă
mountain un munte
mouse un şoarece
mousse *(hair)* spumă
moustache o mustaţă
mouth o gură
move *(verb)* mişca
  (house) se muta
  don't move! nu mişca!
Mr domnul
Mrs doamna
much: not much puţin
  much better mult mai bine
mug o cană
mum mamă
museum un muzeu
mushroom o ciupercă
music o muzică
musical instrument un instrument muzical
musician un muzician
must: I must ... eu trebuie să ...
mustard muştar
my: my book cartea mea
  my bag geanta mea
  my keys cheile mele

nail *(metal)* un cui
  (finger) o unghie
nail file o pilă de unghii
nail polish lac de unghii
name un nume
  what's your name? cum vă numiţi?
nappy un scutec
narrow îngust
near: near the door lîngă uşă
  near London lîngă Londra
necessary necesar
necklace un colier
need *(verb)* trebui
  I need ... am nevoie ...
  there's no need nu e nevoie
needle un ac
negative *(noun)* un negativ
neither: neither of them nici unul din ei
  neither ... nor ... nici ... nici ...
nephew un nepot
never niciodată
new nou
news ştiri
newspaper un ziar
New Zealand Noua Zeelandă
New Zealander *(man)* un domn din Noua Zeelandă
  (woman) o doamnă din Noua Zeelandă
next lîngă
  next week săptămîna viitoare
  next month luna viitoare
  what next? ce urmează?
nice drăguţ
  (to eat) bun
niece o nepoată
night o noapte
nightclub un bar de noapte
nightdress o cămaşă de noapte
night porter un portar de noapte

no *(response)* nu
  I have no money nu am bani
none nici unul
noisy zgomotos
north nord
Northern Ireland Irlanda de
  Nord
nose un nas
not nu
notebook un carnet
nothing nimic
novel un roman
now acum
nowhere nicăieri
nudist un nudist
number un număr
number plate o tablă de
  înmatriculare
nurse o infirmieră
nut *(fruit)* o alună
  (for bolt) o piuliță

occasionally din cînd în cînd
of de
office un birou
often adeseori
oil ulei
ointment un unguent
OK în regulă
old bătrîn
olive o măslină
omelette o omletă
on ... pe ...
one unul
onion o ceapă
only numai
open *(adj)* deschis
  (verb) deschide
opposite: opposite the hotel
  vizavi de hotel
optician un optician
or sau

orange *(fruit)* o portocală
  (colour) portocaliu
orange juice suc de portocale
orchestra o orchestră
ordinary *(normal)* obișnuit
organ *(music)* o orgă
Orthodox *(adj)* ortodox
other: the other ... celălalt ...
  the other one celălalt
our nostru
  it's ours este a noastră
out: he's out el este plecat
outside afară
oven un cuptor
over *(more than, across)* peste
  (finished) gata
  over there acolo
overtake depăși
oyster o stridie

pack: pack of cards cărți de
  joc
packet un pachet
padlock un lacăt
page o pagină
pain o durere
paint *(noun)* vopsea
pair o pereche
Pakistan Pakistan
palace un palat
pale palid
pancakes clătite
paper o hîrtie
  (newspaper) un ziar
paracetamol paracetamol
parcel un colet
pardon? poftim?
parents părinți
park *(noun)* un parc
  (verb) parca
parsley pătrunjel
parting *(hair)* o cărare

party *(celebration)* o petrecere
  (group) un grup
  (political) un partid
passenger un pasager
passport un paşaport
pasta paste făinoase
path o cărare
pavement un trotuar
pay plăti
peach o piersică
peanuts arahide
pear o pară
pearl o perlă
peas mazăre
pedestrian un pieton
peg *(clothes)* un cîrlig de rufe
  (tent) un beţişor
pen un stilou
pencil un creion
pencil sharpener o ascuţitoare de
  creioane
penknife un briceag
people oameni
pepper *(& salt)* piper
  (red/green) un ardei
peppermints bomboane de
  mentă
per: per night pe noapte
perfect perfect
perfume un parfum
perhaps poate
perm un permanent
petrol benzină
petrol station o benzinărie
photograph *(noun)* o fotografie
  (verb) fotografia
photographer un fotograf
phrase book un ghid de
  conversaţie
piano un pian
pickpocket un hoţ de buzunare
picnic un picnic

piece o bucată
pillow o pernă
pin un ac
pineapple un ananas
pink roz
pipe *(for smoking)* o pipă
  (for water) o ţeavă
piston un piston
pizza o pizză
place un loc
  at your place la dumneavoastră
  acasă
plant o plantă
plaster *(for cut)* un leucoplast
plastic plastic
plastic bag o pungă
plate o farfurie
platform un peron
play *(theatre)* o piesă
  (verb) juca
please vă rog
plug *(electrical)* un ştecăr
  (sink) un dop
pocket un buzunar
poison otravă
police poliţie
policeman un poliţist
police station o circă de poliţie
politics politică
poor sărac
  (bad quality) prost
pop music muzica pop
pork carne de porc
port *(harbour)* un port
porter *(for luggage)* un hamal
  (hotel) un valet
possible posibil
post *(noun)* poştă
  (verb) pune la poştă
post box o cutie poştală
postcard o carte poştală
poster un afiş

postman un poştaş
post office un oficiu poştal
potato un cartof
pound *(money)* o liră sterlină
powder o pudră
pram un căruţ de copil
prawn o crevetă
prescription o reţetă
pretty *(beautiful)* frumos
  (quite) destul de
  pretty good destul de bun
priest un preot
private particular
problem o problemă
  what's the problem? care este
  problema?
public public
pull trage
puncture o pană de cauciuc
purple purpuriu
purse o punguţă
push împinge
pushchair un cărucior de copil
pyjamas o pijama

quality calitate
quarter un sfert
quay un chei
question o întrebare
queue *(noun)* o coadă
  (verb) face coadă
quick repede
quiet liniştit
quite *(fairly)* destul de
  it's quite late e destul de tîrziu

radiator un radiator
radio un radio
radish o ridiche
railway line o linie ferată
rain ploaie
raincoat o haină de ploaie

raisins stafide
rare *(uncommon)* rar
  (steak) în sînge
rat un şobolan
razor blades lame de ras
read citi
reading lamp o lampă de citit
  (bedside) un pat
ready gata
rear lights lumini din spate
receipt o chitanţă
receptionist un recepţionist
record *(music)* un disc
  (sporting etc) un record
record player un picup
record shop un magazin de discuri
red roşu
  (hair) şaten
registered letter o scrisoare
  recomandată
relative o rudă
relax relaxa
religion o religie
remember a-şi aduce aminte
  I don't remember nu-mi aduc
  aminte
rent *(verb)* închiria
reservation o rezervaţie
rest *(remainder)* rest
  (verb: relax) odihnă
restaurant un restaurant
restaurant car un vagon restaurant
return *(come back)* se întoarce
  (give back) da înapoi
return ticket un bilet dus întors
rice orez
rich bogat
right *(correct)* bun
  (direction) dreapta
ring *(to call)* suna
  (wedding etc) un inel
ripe copt

river un rîu
road un drum
rock (*stone*) o stîncă
  (*music*) muzica rock
roll (*bread*) o chiflă
Romania România
Romanian (*man*) un român
  (*woman*) o româncă
  (*adj*) românesc
  (*language*) româna
  the Romanians românii
roof un acoperiş
room o cameră
  (*space*) un loc
rope o frînghie
rose un trandafir
round (*circular*) rotund
  it's my round e rîndul meu
rowing boat o barcă cu vîsle
rubber (*eraser*) o gumă de şters
  (*material*) cauciuc
rubbish gunoaie
ruby (*stone*) un rubin
rucksack un rucsac
rug (*mat*) o scoarţă
ruins ruine
ruler (*for drawing*) o riglă
rum un rom
run (*verb*) alerga
runway o pistă
Russia Rusia

sad trist
safe în siguranţă
safety pin un ac de siguranţă
sailing boat o barcă cu pînze
salad o salată
salami salam
sale (*at reduced prices*) solduri
salmon un somon
salt sare

same: the same dress aceeaşi
rochie
  the same people aceiaşi oameni
  same again please încă una, vă
rog
sand nisip
sandals sandale
sandwich un sandviş
sanitary towels tampoane
sauce un sos
saucepan o cratiţă
sauna o sauna
sausage un cîrnat
say zice
  what did you say? ce aţi zis?
  how do you say ...? cum se
spune ...?
scarf un fular
  (*head*) un batic
school o şcoală
scissors o foarfecă
Scotland Scoţia
Scotsman un scoţian
Scotswoman o scoţiană
Scottish scoţian
screw un şurub
screwdriver o şurubelniţă
sea mare
seafood fructe de mare
seat un loc
seat belt o centură de siguranţă
second (*of time*) o secundă
  (*in series*) a doua
see vedea
  I can't see nu văd
  I see (*understand*) înţeleg
sell vinde
sellotape ® scotch
separate (*adj*) separat
  (*verb*) separa
separated (*couple*) separat
Serb (*man*) un sîrb

(woman) o sîrboaică
Serbian sîrbesc
serious serios
serviette un şerveţel
several mai mulţi
sew coase
shampoo un şampon
shave: to have a shave se rade
shaving foam o spumă de ras
shawl un şal
she ea
sheet un cearceaf
shell o scoică
shellfish crustaceu
ship un vas
shirt o cămaşă
shoe laces şireturi
shoe polish cremă de pantofi
shoes pantofi
shop un magazin
shopping cumpărături
  to go shopping face
  cumpărături
short scurt
shorts pantaloni scurţi
shoulder un umăr
shower *(bath)* un duş
  (rain) o aversă
shrimp o crevetă
shutter *(window)* un oblon
sick *(ill)* bolnav
  I feel sick mi-e rău
  to be sick a-i fi rău
side *(edge)* o margine
silk mătase
silver *(colour)* argintiu
  (metal) argint
simple simplu
sing cînta
single *(one)* singur
  (unmarried) necăsătorit
single room o cameră cu un pat

sister o soră
skate *(verb)* patina
skates patine
ski *(verb)* schia
ski bindings legături de schi
ski boots bocanci de schi
skid *(verb)* derapa
skiing schi
  to go skiing face schi
ski-lift un teleferic
skin cleanser un demachiant
ski resort o staţiune de schi
skirt o fustă
skis schiuri
ski sticks beţe de schi
sky cer
sleep *(noun)* un somn
  (verb) dormi
  to go to sleep adormi
sleeping bag un sac de dormit
sleeping pill o pilulă de dormit
slippers papuci
slow încet
small mic
smell *(noun)* un miros
  (verb) mirosi
smile *(noun)* un zîmbet
  (verb) zîmbi
smoke *(noun)* fum
  (verb) fuma
snack o gustare
snow zăpadă
so: so good aşa de bun
  not so much nu aşa de mult
socks ciorapi
soda water un sifon
somebody cineva
somehow cumva
something ceva
sometimes uneori
somewhere undeva
son un fiu

song un cîntec
sorry! *(apology)* scuzaţi!
  sorry? *(pardon?)* poftim?
  I'm sorry scuzaţi-mă
soup o supă
south sud
South Africa Republica
  Sudafricană
souvenir o amintire
spade *(shovel)* o lopată
  (cards) pică
spanner o cheie franceză
spares piese de schimb
spark(ing) plug o bujie
speak vorbi
  do you speak ...? vorbiţi ...?
  I don't speak ... nu vorbesc ...
speed viteză
speed limit limită de viteză
spider un păianjen
spinach spanac
spoon o lingură
sports centre complex sportiv
sprain o luxaţie
spring *(mechanical)* un arc
  (season) primăvară
square *(shape)* pătrat
  (in town) o piaţă
stadium un stadion
stag un cerb
staircase o scară
stairs scări
stamp un timbru
stapler un capsator
star o stea
  (film) o vedetă
start *(verb)* începe
station o gară
statue o statuie
steak un muşchi (de vacă)
steal fura
  it's been stolen a fost furat

steering wheel un volan
steward un însoţitor de bord
stewardess o stewardesă
sting *(noun)* o înţepătură
  (verb) pişca
  it stings pişcă
stockings ciorapi
stomach stomac
stomach ache o durere de stomac
stop *(verb)* opri
  (bus stop) o staţie de autobuz
  stop! opreşte!
storm o furtună
strawberry o căpşună
stream *(small river)* un pîrîu
street o stradă
string *(cord)* o sfoară
  (guitar etc) o coardă
strong *(person)* puternic
  (material) rezistent
  (drink, taste) tare
student un student
stupid stupid
suburbs suburbii
sugar zahăr
suit *(noun)* un costum
  (verb) conveni
  it suits you vă stă bine
suitcase un geamantan
sun soare
sunbathe face plajă
sunburn arsură de soare
sunglasses ochelari de soare
sunny: it's sunny bate soarele
suntan un bronz
suntan lotion o cremă de soare
supper cină
sure sigur
  are you sure? sînteţi sigur?
surname un nume de familie
sweat *(noun)* transpiraţie
  (verb) transpira

sweatshirt un maiou
sweet *(not sour)* dulce
  (candy) o bomboană
swim *(verb)* înota
swimming costume un costum
  de baie
swimming pool un bazin de înot
swimming trunks chiloți de baie
switch un întrerupător
synagogue o sinagogă

table o masă
tablet o tabletă
take lua
take-off o decolare
take off decola
talcum powder talc
talk *(noun)* convorbire
  (verb) vorbi
tall înalt
tampon un tampon
tangerine o mandarină
tap un robinet
Tatar *(man)* un tătar
  (woman) o tătăroaică
tea un ceai
teacher *(man)* un profesor
  (woman) o profesoară
tea towel o cîrpă de bucătărie
telegram o telegramă
telephone *(noun)* un telefon
  (verb) telefona
telephone box o cabină
  telefonică
telephone call un telefon
television un televizor
temperature temperatură
tent un cort
than decît
thank *(verb)* mulțumi
  thanks mulțumesc

thank you vă mulțumesc
that: that bus acel autobuz
  that man acel om
  that woman acea femeie
  what's that? ce e asta?
  I think that ... cred că ...
the *see page* 7
their: their room camera lor
  their books cărțile lor
  it's theirs este a lor
them: it's them ei sînt
  it's for them e pentru ei
  give it to them să le-o dați
then atunci
there acolo
  there is/are ... este/sînt ...
  is/are there ...? este/sînt ...?
thermos flask un termos
these: these things aceste lucruri
  these are mine acestea sînt ale
  mele
they ei
thick gras
thin subțire
think crede
  I think so cred că da
  I'll think about it mă voi gîndi
third a treia
thirsty: I'm thirsty mi-e sete
this: this bus acest autobuz
  this man acest om
  this woman această femeie
  what's this? ce-i asta?
  this is Mr ... acesta este
  domnul ...
those: those things acele lucruri
  those are his acelea sînt ale lui
throat un gît
throat pastilles pastile de tuse
through prin
thunderstorm o ploaie cu trăsnete
ticket un bilet

tide: the tide's coming in vine fluxul

tie (noun) o cravată
(verb) lega

tights ciorapi cu chilot

time timp
what's the time? cît e ceasul?

timetable (train, bus) un mers

tin o cutie

tin-opener un deschizător de cutii

tip (money) un bacşiş

tired obosit
I feel tired sînt obosit

tissues şerveţele

to: to England în Anglia
to the station la gară
to the doctor la doctor

toast pîine prăjită

tobacco tutun

today azi

together împreună

toilet WC

toilet paper hîrtie igienică

tomato o roşie

tomato juice suc de roşii

tomorrow mîine

tongue o limbă

tonic o apă tonică

tonight deseară

too (also) şi
(excessively) prea

tooth un dinte

toothache o durere de dinţi

toothbrush o perie de dinţi

toothpaste o pastă de dinţi

torch o lanternă

tour un turneu

tourist un turist

tourist office un birou de turism

towel un prosop

tower un turn

town un oraş

town hall o primărie

toy o jucărie

toy shop jucării

tracksuit un trening

tractor un tractor

tradition o tradiţie

traffic circulaţie

traffic jam un ambuteiaj, aglomeraţie de maşini

traffic lights stop

trailer o remorcă

train un tren

trainers adidaşi

translate traduce

transmission (for car) transmisie

Transylvania Transilvania

travel agency o agenţie de voiaj

traveller's cheque un cec de călătorie

tray o tavă

tree un pom

trousers pantaloni

true adevărat

try (verb) încerca

tunnel un tunel

Turk (man) un turc
(woman) o turcoaică

Turkey Turcia

Turkish turc

tweezers o pensetă

typewriter o maşină de scris

tyre un cauciuc

Ukraine Ucraina

Ukrainian (man) un ucrainean
(woman) o ucraineancă
(adj) ucrainean

umbrella o umbrelă

uncle un unchi

under ... sub ...

underground metrou

underpants chiloţi
underskirt un combinezon
understand înţelege
  I don't understand nu înţeleg
university o universitate
unleaded petrol benzină fără
  plumb
unmarried necăsătorit
until pînă
unusual neobişnuit
up sus
  (upwards) în sus
urgent urgent
us: it's us noi sîntem
  it's for us este pentru noi
  give it to us să ne-o daţi
use *(noun)* folos
  (verb) folosi
  it's no use n-are rost
useful folositor
usual obişnuit
usually de obicei

vacancy *(room)* o cameră liberă
vacuum cleaner un aspirator
vacuum flask un termos
valley o vale
valve o supapă
vampire un vampir
vanilla vanilie
vase o vază
veal viţel
vegetable o legumă
vegetarian *(person)* un vegetarian
vehicle un vehicul
very foarte
vest un maiou
video *(tape)* o casetă video
  (film) un film pe casetă video
video recorder un video
view o privelişte
villa o vilă

village un sat
vinegar oţet
violin o vioară
visa o viză
visit *(noun)* o vizită
  (verb) vizita
visitor un vizitator
  (tourist) un turist
vitamin tablet o vitamină
vodka o vodcă
voice o voce

wait *(verb)* aştepta
  wait! aşteaptă!
waiter un chelner
  waiter! dacă sînteţi bun!
waiting room o sală de
  aşteptare
waitress o chelneriţă
  waitress! dacă sînteţi bun!
Wales Ţara Galilor
walk *(noun: stroll)* o plimbare
  (verb) umbla
  to go for a walk se plimba
walkman ® un walkman
wall *(inside)* un perete
  (outside) un zid
Wallachia Ţara Românească
wallet un portofel
war un război
wardrobe un dulap de haine
warm cald
was: I was eu eram
  he/she/it was era
washing powder praf de spălat
washing-up liquid detergent de
  vase
wasp o viespe
watch *(noun)* un ceas
  (verb) privi
water apă
waterfall o cascadă

127

wave *(noun)* un val
  (verb: with hand) face cu mîna
wavy *(hair)* ondulat
we noi
weather vreme
wedding o nuntă
week o săptămînă
welcome bun venit
  you're welcome *(don't mention
  it)* pentru puţin
wellingtons cizme de cauciuc
Welsh *(adj)* galez
Welshman un domn din Ţara
  Galilor
Welshwoman o doamnă din
  Ţara Galilor
were: we were eram
  you were *(singular, familiar)* erai
  (plural/polite) eraţi
  they were erau
west vest
wet ud
what? ce?
wheel o roată
wheelchair un scaun cu rotiţe
when? cînd?
where? unde?
whether dacă
which? care?
whisky whisky
white alb
who? cine?
why? de ce?
wide lat
wife o soţie
wild boar un mistreţ
wind un vînt
window o fereastră
windscreen un parbriz
wine un vin
wine cellar o pivniţă, un beci
wing o aripă

with cu
without fără
wolf un lup
woman o femeie
wood *(material)* lemn
wool lînă
word un cuvînt
work *(noun)* muncă
  (verb) lucra
worse mai rău
worst cel mai rău
wrapping paper hîrtie de
  împachetat
wrist încheietura mîinii
writing paper hîrtie de scris
wrong greşit

year un an
yellow galben
yes da
yoghurt un iaurt
you *(singular, familiar)* tu
  (plural, formal) voi
  (polite) dumneavoastră *(see
  page 7)*
your: your book *(singular, familiar)*
  cartea ta
  (plural, formal) cartea voastră
  (polite) cartea dumneavoastră
  your shoes *(singular, familiar)*
  pantofii tăi
  (plural, formal) pantofii voştri
  (polite) pantofii dumneavoastră
yours: is this yours? *(singular,
  familiar)* este a ta?
  (plural, formal) este a voastră?
  (polite) este a dumneavoastră?
Yugoslavia Iugoslavia

zip un fermoar
zoo o grădină zoologică